마음의 실체 - 죽음의 패러다임을 바꾸는 마음혁명

마음의 실체 - 죽음의 패러다임을 바꾸는 마음혁명

발 행 | 2024년 5월 15일
저 자 | 이경윤
펴낸이 | 한건희
펴낸곳 | 주식회사 부크크
출판사등록 | 2014.07.15.(제2014-16호)
주 소 | 서울특별시 금천구 가산디지털1로 119 SK트윈타워 A동 305호
전 화 | 1670-8316
이메일 | info@bookk.co.kr

ISBN | 979-11-410-8363-2

www.bookk.co.kr

마음의 실체

죽음의 패러다임을 바꾸는 마음혁명

이경윤 저
(lkyee000@naver.com)

목 차

마음의 실체를 알아내기 위한 처절한 노력!

홍콩행 비행기에서 내려다보이는 땅의 모습을 보며 필자는 인간이 참 위대한 물질 문명을 이루었다는 생각을 하였다. 고층 빌딩은 물론이고 구석구석까지 이어진 도로, 전기 에너지의 발명으로 만들어낸 화려한 불빛 등은 가히 인간이야말로 자연을 정복한 위대한 존재라는 생각까지 들게 하였다.

그러나 마음으로 돌아오면 인간처럼 나약한 동물도 없다. 인간관계 속에서 조금만 상처받아도 무너지는 마음, 끔찍한 사건으로 생긴 트라우마에 의해 평생 고통 속에 살아가는 마음, 우울증, 공황장애, 불안증 등으로 언제 무너질지 모르는 마음, 인류 역사상 가장 자살이 많이 난무하는 마음 등 고도의 물질문명과 달리 인간의 마음은 작은 바람에도 날려갈 듯 불안하기 그지없는 나날을 보내고 있는 것이 현대 물질문명 시대 마음의 실체이다.

고도의 물질문명으로 자연까지 정복한 인간이 왜 이처럼 나약한 마음을 가지게 되었을까? 인간이 이처럼 나약한 마음에 이르는 데 결정적 기여를 한 것이 바로 생각과 감정이라고 생각한다. 오늘날 현대인은 혼란스러운 생각과 감정의 노예로 살아가고 있는 것이 사실이다. 필자 역시 이런 생각과 감정의 노예로 살가가던 사람이었다. 이로 인해 어떻게 하면 생각과 감정의 노예 상태에서 빠져나올 수 있을까, 생각하며 마음의 실체에 대한 공부를 시작하게 되었다.

이후 15년은 마음의 실체를 알아가기 위한 처절한 노력의 시간이었다. 처음에 마음은 추상적이었지만, 점점 거리가 가까워지며 조금씩 실체가 보이기 시작했다. 내 삶이 기독교 베이스이기에 성서의 예수는 내가 마음을 알아가는 데 훌륭한 스승 역할을 해주었다. 예수는 도마복음에서 스스로를 분열되지 않은 전체로부터 왔다고 했는데, 거기에서 마음의 비밀에 대한 결정적 단서를 잡을 수 있었다. 그런 점에서 성서는 나에게 마음을 더 알기 위한 하나의 지침서가 되었다. 그 외 나는 작가로서 타종교는 물론이고 동서양 철학, 현대 사상에 대해서도 공부할 기회가 있었는데, 이 또한 마음을 알아가는 데 도움을 얻을 수 있는 좋은 도구들이었다.

마음의 비밀은 세상을 움직이고 지배하는 어떤 실체가 있다고 인정할 때 비로소 이해할 수 있게 된다. 세상에서 조물주라고 하는 그 존재를 기독교에서는 하나님이라고 한다. 인간은 중심마음에 있는 영혼(정신)을 통하여 하나님을 느낄 수 있으며, 이 책에서 이야기하는 마음에 관한 다수의 지식은 하나님으로부터 받은 영감이 포함되어 있다. 이러한 영감은 기도하다가 얻기도 하고, 어떤 지식을 접하다가 또는 경험 속에서 얻어지기도 하며, 때로는 운전하는 중에 문득 얻어지기도 한다. 놀라운 것은, 이러할 때 생각지도 못한 지혜들이 막 쏟아져나온다는 사실이다.

물론 필자는 신비적 지식들은 받아들이지 않으며, 반드시 논리적 증명이 되어야 받아들이는 작가적 기질이 있는 사람이다. 따라서 이 책에 기록된 내용은 대부분이 그동안 쌓은 지식과 영감을 통하여 얻은 지식을 필자 나름의 논리적 추론을 통하여 증명한 지식들임을 밝혀둔다.

그동안 필자가 접한 지식으로 볼 때 마음의 구성요소 중 생각과 감정에 대한 연구가 많이 되어 있지만, 본질적 실체에 대해서는 제대로 접근하지 못한 지식들이 대부분임을 발견할 수 있었다. 필자는 그 이유가 마음의 구성요소 중 지식과 의지에 대한 연구가 빈약했기 때문이라는 사실을 발견할 수 있었다. 사실 인간을 변화시키는 힘은 지식의 깨달음과 이를 실천하려는 굳은 의지에서 비롯되는 법인데, 이에 대한 연구가 이처럼 빈약하다는 것은 모순이라 하지 않을 수 없었다. 그래서 본격적으로 지식과 의지에 대한 공부를 파고들게 되었으며, 지식과 의지를 바르게 이해하면 얼마든지 생각과 감정의 노예상태에서 벗어날 수 있다는 사실을 발견하게 되었다.

그중에서도 의지는 나를 변화시키는 핵심적 힘이라고 할 수 있다. 바른 의지를 갖게 되면 생각과 감정을 내가 컨트롤 하며 어떤 문제 앞에서도 굴하지 않고 이겨낼 수 있는 힘을 가지게 된다. 또한, 의지는 삶에서 원하는 모든 성공의 발판이 된다. 사주나 운명대로 살게 하지 않고 운명을 개척하는 삶을 살게 해준다. 그야말로 인간의 원하는 자유와 행복을 얻을 수 있게 해주는 원천이 바로 의지인 것이다.

또한, 필자는 무의식의 실체에 접근하는 가운데 한 인간의 마음이 사회적 생명과 함께 비물질 우주와도 연결되어 있다는 사실을 발견하였다. 이것은 놀라운 발견이며, 이러한 마음의 실체를 알고 나면 이 세상의 존재 목적과 인간의 존재 이유를 알게 되며 죽음에 대한 패러다임도 바뀌게 할 만큼 마음 혁명이 일어나게 된다. 이것을 함께 나누라는 마음이 강하게 일어나 드디어 펜을 들게 되었고 이 책을 쓰게 되었다. 부디 이 책에서 소개하는 마음의 실체를 바르게 이해하고, 더는 생각과 감정의 노예로 살지 않으며 행복에 더 가까이 다가가는 사람들이 많아졌으면 좋겠다. 그것이 이 책을 쓰는 가장 큰 목적이다.

이경윤

1장

인간의 구조에 대한 탐구

인간을 영혼육으로 구분하는 방법

인간이 몸과 마음으로 구성되어 있다는 사실은 누구나 알고 있는 사실이다. 그런데 종교적으로 들어가 보면 인간은 몸과 마음 외에 하나가 더 있다고 주장한다. 바로 '영'이라는 존재이다. 즉, 인간은 모든 동물 중 유일하게 신께 제사하는 종교적 의식을 가지는데, 이것이 인간 속에 영이 존재하기 때문에 나타나는 현상이라는 것이다.

실제 성서를 보면 인간을 영, 혼, 육으로 구분하는 것을 쉽게 볼 수 있다.

데살로니가전서 5:23

평강의 하나님이 친히 너희로 온전히 거룩하게 하시고 또 너희 온 영과 혼과 몸이 우리 주 예수 그리스도 강림하실 때에 흠없게 보전 되기를 원하노라

이로 인해 기독교에서는 인간의 구조를 영혼육으로 보는 견해가 일반적이다. 하지만 일반인의 관점에서 '영'이란 존재는 과학적으로 입증된 바가 없기에 관념적으로 느껴지는 대상일 뿐이다. 무엇보다 현실적으로 영이란 존재를 인식하기가 어려우므로 영이란 존재의 실체를 인정하기가 어렵다. 그렇다 보니 영이란 존재를 일반 사회에서 인정하기에는 아직은 무리가 있는 상황이다. 이로 인해 일반 사회에서는 인간을 몸과 마음으로만 구분하는 2분법이 통용되고 있다.

그렇다면 과연 영은 없는 존재일까? 영의 한자는 신령 영靈자를 쓴다. 즉 영이란 신과 연결된 어떤 마음이라고 할 수 있다. 실제 주변에서 신이 들린 사람을 어렵지 않게 볼 수 있다. 무당이 바로 신들린 사람이요, 기도원에 가면 예언을 하거나 병 고치는 목사들이 있는데 이들 또한 신들린 사람들이

다. 무엇보다 주변에 공통으로 귀신을 보는 사람이 있다는 사실은 귀신의 존재를 부정하기 어렵게 만든다. 만약 한 사람만 본다면 무시할 수도 있겠는데, 생각보다 많은 사람이 귀신을 본다는 것은 귀신의 실체가 있다는 것을 나타내는 방증이기도 하다.

마음의 실체

영의 존재를 이해하기 위해 마음의 실체를 들여다볼 필요가
있다. 우리는 마음을 평면적으로 이해하지만 사실 마음은 입
체이다. 마음이 입체라는 이야기는 겉마음도 있고 속마음도
있다는 이야기가 된다.

마음이 입체인 것을 증명하는 것은 어렵지 않다. 몸이 물질이
라면 마음은 비물질이다. 세계는 물질로 이루어져 있는데, 사
실 물질은 비물질의 뜻이 반영된 결과라고 할 수 있다. 예를
들어 컵이라는 물질 하나가 만들어지기 위해서는 '물을 담을
도구가 필요하다'는 비물질의 뜻이 있어야 한다. '물을 담을

도구가 필요하다'는 비물질의 뜻을 현실에 나타내기 위해 만들어진 것이 바로 물질인 컵이라고 할 수 있다. 이러한 원리는 컵뿐만 아니라 모든 물질에 적용할 수 있다. 즉 비물질의 뜻이 먼저 있었고 그 뜻의 목적에 따라 만들어진 것이 바로 물질이란 이야기다. 세상의 모든 물질이 그렇게 만들어졌고, 지구도 그렇게 만들어졌으며, 우주도 그렇게 만들어졌다.

이런 맥락으로 볼 때 세상의 모든 물질은 비물질의 뜻이 담겨 있다고 볼 수 있다. 그런 점에서 사실 우리가 사는 물질 세상은 상징일 뿐이요, 진짜 본질은 물질이 나타내는 비물질의 뜻이라고 할 수 있다. 불교의 '공' 사상에서는 우리가 사는 세상을 허상이라고 하는데, 위와 같이 물질이 본질이 아니라 상징이라는 생각과 유사하다. 물론 현실이 허상이라는 개념은 좀 더 나간 생각이고 상징이라고 보는 것이 더 현실적인 생각이라 할 수 있겠다.

어쨌든 물질이 비물질의 뜻을 반영한다고 했을 때 우리는 물질에서 비물질의 모습을 어렴풋이 유추해낼 수 있게 된다. 물질세계의 비밀은 원자가 발견되면서 비로소 과학적인 접근이 이루어졌다. 조물주는 가장 작은 입자인 원자를 통하여 온 세계를 만들어낸 것이다. 그런데 원자의 모습이 흥미롭다. 과학자들이 밝혀낸 원자는 중심에 원자핵과 주변의 전자로 이루어진 모습을 하고 있다.

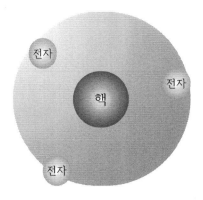

인간을 포함한 지구의 모든 물질은 이러한 원자로 구성되어 있다. 그런데 그렇게 만들어진 지구의 모습 또한 원자와 비슷한 구조를 이루고 있다.

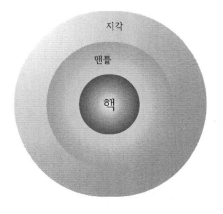

중심이 핵으로 이루어진 이러한 구조는 이제 태양과 태양계로까지 확대되며, 사실 우주의 모든 별과 행성이 이러한 구조로 되어 있다. 이것은 무엇을 뜻하는 것일까?

흔히 인간의 마음을 우주에 비유하는데, 그것은 인간의 마음이 물질 우주와 비슷한 구조를 하고 있으므로 은연중에 나타난 표현이라고 할 수 있다. 사실 물질의 구조는 비물질을 대표하는 인간의 마음을 상징하는 것이라 볼 수 있다. 그런 점에서 볼 때 인간 마음의 구조를 다음과 같이 표현할 수 있을 것이다.

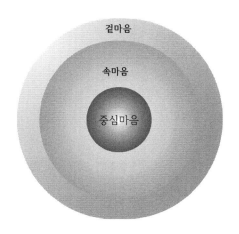

이것은 흡사 지구의 구조와 비슷하다. 지각에 해당하는 겉마음이 있고 맨틀에 해당하는 속마음이 있다. 그리고 중심에는 핵에 해당하는 중심마음이 있다. 사람들은 흔히 내 마음 나도 몰라라는 표현을 하는데, 그것은 바로 속마음을 이야기하는 것이다.

인간의 마음은 의식할 수 있는 것과 의식할 수 없는 것으로 나누어진다. 의식할 수 있는 것이란 느끼고 알아차릴 수 있는 것을 뜻하고, 의식할 수 없는 것이란 느끼고 알아차릴 수 없는 것을 뜻한다. 흔히 전자를 의식, 후자를 무의식이라고 표현한다. 위 마음의 그림에서 인간이 의식할 수 있는 마음은 겉마음뿐이다. 겉으로 드러나 있기에 의식할 수 있는 것이다. 하지만 속마음은 속에 숨어 있는 무의식의 영역에 있기에 알아차릴 수 없다. 그러나 알아차릴 수 없다고 해서 내 것이 아니라고는 할 수 없다. 내 마음 안에 존재하고 있기 때문이다.

속마음의 비밀을 아는 것은 매우 중요하다. 여기에서 생각, 감정, 느낌 등의 반응이 올라오기 때문이다. 그런 점에서 우리는 생각과 감정, 느낌 등을 통하여 어느 정도 속마음의 비밀에 접근할 수 있게 된다. 이 책에서는 이러한 속마음의 비밀에 대해 파헤칠 것이다. 아는 것이 힘이다, 라는 말처럼 이걸 알아야 비로소 생각과 감정에 휘둘리지 않는 삶을 살 수 있게 되기 때문이다.

놀라운 중심마음의 비밀

그렇다면 중심마음은 도대체 어떤 것일까? 이것은 인간의 마음 중 중심에 해당하는 마음으로 가장 중요한 마음이라고 할 수 있다. 모든 것의 중심에는 가장 중요한 것이 담겨 있는 법이기 때문이다. 그러나 안타깝게도 중심마음은 마음의 구조에서도 가장 깊숙이 숨어 있으므로 도대체 그 실체를 알아내기가 매우 어렵다. 그러나 이 중심마음마저 조금이라도 느낄 수 있을 때가 있는데 바로 '정신'을 통해서다. 흔히 넋이 빠져 엉뚱한 행동을 하는 사람더러 "정신 차려!"라는 말을 쓰는데, 이때의 정신이 바로 중심마음의 일부라고 할 수 있다.

정신의 한자어는 精神으로 이때 精은 겉을 벗겨낸 깨끗한 상태를 뜻하는 '정할 정 자'이고, 神은 '신령 신 자'이다. 따라서 정신이란 마음의 겉을 깨끗이 벗겨내어 신의 모습을 드러낸 상태라고 할 수 있다. 이러한 정신의 한자어 뜻을 통하여 우리는 중심마음의 놀라운 구조를 유추해낼 수 있다. 중심마음의 중심에 핵과 같은 신神이라는 존재가 있다는 사실이다. 이러한 신神은 두꺼운 마음의 껍질에 의해 감추어져 있는데, 정신을 통하여 마음의 껍질을 벗겨내면 비로소 그 신神의 실체를 느낄 수 있게 된다.

여기에서 우리는 신神과 영靈을 연결시킬 수 있다. 둘 다 신을 뜻하는 단어이기 때문이다. 종교에서 영이라는 표현을 쓰는 것은 바로 이 정신 속 신神의 실체를 신령 영靈 자를 써

서 영으로 보았기 때문이다. 이와 같은 논리를 통하여 우리는
영의 존재를 증명할 수 있게 된다. 바로 중심마음의 중심에
영(신)이 아로새겨져 있는 것이다.

마음의 중심에 영이 존재하는 이유

그렇다면 왜 인간의 중심마음에 영靈이 존재하고 있는 것일까? 이 비밀을 과학적 탐구로 알아내기는 쉽지 않지만, 우리는 심리적 탐구를 통하여 어느 정도 유추해낼 수 있다. 인간과 세계의 비밀을 기록한 성경 창세기 2장 7절에는 하나님이 인간을 만드는 내용이 나온다.

하나님이 흙으로 사람을 지으시고 생기를 그 코에 불어 넣으시니 사람이 생령이 된지라

종교의 경전은 일반 서적과 달리 매우 심오한 뜻을 담고 있

는 법이다. 문자적으로는 마치 신화처럼 보이는 내용이지만, 경전은 신화를 담기 위해 기록한 책이 아니다. 뭔가 큰 심오한 뜻을 알려주기 위해 만든 책이 바로 '경'이기 때문이다. 우리는 이 성경 구절을 통하여 신과 인간의 관계에 대한 이해에 접근할 수 있다.

우주는 어떤 비물질적 질서에 의해 돌아가고 있다. - 이것을 과학에서는 '정보'라고 표현한다. - 이러한 질서가 우연에 의해 만들어졌다고 생각한다면 그것은 매우 비과학적 접근이 아닐 수 없다. 오히려 우주의 질서가 우연이 아니라 어떤 계획자의 의도에 의해 만들어졌다고 하면 이것이 훨씬 과학적 접근이 될 수 있다. 따라서 지금부터 우주를 만들어내고 거기에 질서까지 부여한 절대적 존재가 있다고 가정하고 이야기를 전개해보겠다. - 필자는 기독교 베이스이므로 그 절대적 존재를 하나님이라 부르도록 하겠다.

하나님은 왜 우주를 창조하려고 계획했을까. 우리는 성경 창세기에서 그 비밀에 접근할 수 있게 된다. 창세기 1장은 하나님이 천지를 창조하는 과정이 나오는데, 우주-지구-생물-인간의 순서로 창조가 이루어진다. 이것은 현대 우주론과 진화론에서 밝혀진 내용과도 일맥상통한다. 이 창조과정에서 주목할 것은 맨 마지막 창조물이 인간이란 사실이다. 우주의 창조과정을 진화론 관점에서 볼 때 마지막 창조물은 가장 진화된 존재라고 이해할 수 있다. 그런 점에서 인간은 하나님의 창조물 중 가장 진화된 결과물이라고 할 수 있다. - 실제 과학의 진화론에서 밝힌 최종 진화의 결과물 역시 인간이다.

어떤 예술가가 작품을 창조한다고 생각해보자. 이때 가장 마지막 결과가 그의 완성품이 된다. 마찬가지 논리로 하나님의 우주 창조에서 최종 완성품은 바로 인간이 되는 것이다. 그렇다면 결국 하나님은 인간을 완성하기 위해 나머지 우주와 지구를 창조했다는 결론에 이를 수 있다. 하나님은 왜 인간을 창조하기 위해 이와 같은 모진 수고를 했을까? 그것은 바로 앞에서 제시한 성경 구절에서 답을 찾을 수 있다.

하나님이 흙으로 사람을 지으시고 생기를 그 코에 불어 넣으시니 사람이 생령이 된지라

이 구절에서 '생기'의 원어적 뜻이 바로 하나님의 '영'이다. 앞에서 영은 곧 하나님의 유전자가 아로새겨진 실체라고 했었다. 이로써 하나님이 인간에게 자신의 유전자가 아로새겨진 영을 불어넣은 이유가 명징해진다. 이것은 마치 부모가 자식에게 자신의 유전자를 물려주는 것과 같은 현상이라고 볼 수 있다. 앞에서 모든 물질적 현상은 비물질의 뜻이 내포되어 있다고 했었다. 부모가 자식에게 자신의 유전자를 물려주는 현상은 곧 하나님이 인간에게 자신의 유전자인 영을 물려주는 것을 상징하는 장면이라고 볼 수 있다.

이로써 우리는 하나님과 부모자식의 관계와 같은 사랑의 관계가 맺어져 있다는 사실을 알아낼 수 있게 된다. 하나님이 우주와 지구, 자연을 창조한 이유는 자신이 그토록 사랑하는 인간이 그 우주와 자연에서 나오는 산물을 통하여 살아갈 수 있도록 환경을 만들어 주기 위함이었다고 이해할 수 있다.

그러나 자식이 어느 정도 성장하기까지는 부모가 베풀어주는 환경과 사랑을 이해하지 못하듯, 인간 역시 이러한 하나님이 베풀어주는 환경과 사랑을 이해하지 못한 채 살아갈 수밖에 없다. 하나님은 이 문제를 알고 있었기 때문에 인간의 중심마음에 자신의 유전자인 영을 아로새겨 놓은 것이다. 이로써 인간이 아무리 부인해도 영이란 존재의 증명에 의해 인간은 하나님과 연결된 상황에서 살아갈 수밖에 없는 상황에 직면해 있는 것이다.

인간만이 신을 숭배하는 이유

자연에 존재하는 모든 동물 중 오직 인간만이 신을 숭배한다. 인간이 신을 숭배하는 행위는 고대로부터 현재까지 이어지고 있는 현상이다. 왜 인간만이 신을 숭배하는지 과학자들은 아직 밝혀내지 못하고 있다. 하지만 앞에서 이야기한 중심마음의 구조를 이해하면 왜 인간만이 신을 숭배하는지 이해할 수 있게 된다. 그것은 자신의 중심마음에 아로새겨진 영(신)의 존재를 무의식적으로 인식하는 가운데 나타나는 현상이라고 볼 수 있기 때문이다.

인간만이 신을 숭배하는 행위를 통하여 우리는 어느 정도 영의 존재를 증명할 수 있다. 하지만 인간이 신을 숭배하는 행위는 아직 인간 스스로 자신의 정체에 대해 잘 모르기 때문에 나타나는 현상이라고 할 수 있다. 만약 인간이 지금보다 더 진화하고 발전하여 인간의 중심마음에 하나님의 영이 아로새겨져 있다는 사실이 증명되는 날이 온다면 그때는 하나님이 인간의 아버지가 되므로 더는 신을 대상으로 숭배하는 행위는 끝나게 될 것이다. 그 신이 바로 내 아버지이기 때문이다. 이 사실을 인류 최초로 깨달은 사람이 바로 예수이다. 예수는 이전까지 인간이 숭배하던 하나님을 아버지로 이해하고 당시 유대인들이 감히 부르지 못하던 하나님을 아버지라고 불렀다. 그런 점에서 예수는 여러 성자 중 가장 놀라운 성자라고 하지 않을 수 없다.

영은 곧 생명의 근원 에너지이다

그렇다면 인간의 중심마음에 아로새겨진 영은 현재 인간의 삶에 어떤 영향을 미칠까? 마음은 비물질이며 따라서 영도 비물질이다. 비물질의 뜻을 알아내는 가장 과학적인 방법은 그 비물질을 상징하는 물질에서 답을 찾는 것이다.

물질로 이루어진 인간의 몸은 호흡과 잠, 음식을 통하여 살아 가는 구조로 이루어져 있다. 숨을 쉬지 못하면 단 몇 분 만에 목숨을 잃게 되며, 잠을 자지 않으면 수일 또는 수십 일 만에 목숨이 위태롭게 된다. 음식을 먹지 않으면 한두 달 버티지 못하고 죽게 된다. 그런 점에서 호흡과 잠, 음식은 육체의 생명을 유지하는 최소한의 조건이라고 할 수 있다. 이 중에서 중요도를 따지면 호흡이 가장 중요하고(몇 분만 유지하지 못해도 죽기 때문) 다음이 잠, 다음이 음식 순이라고 볼 수 있다. 이것을 그림으로 나타내면 다음과 같다.

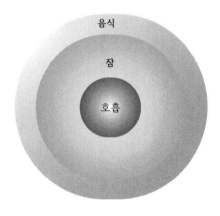

호흡이 가장 중요하기 때문에 중심에 위치해 있고, 잠이 다음으로 중요하기 때문에 그다음에 위치해 있다. 음식은 가장 바깥에 위치해 있다. 이 그림은 앞에서 제시한 마음의 그림과 유사하다.

즉 호흡이 중심마음에 대응하고, 잠이 속마음에 대응하며, 음식이 겉마음에 대응한다. 이때 중심마음에 영이 있다고 했으므로 영은 곧 육체의 호흡과 같은 역할을 한다고 이해할 수 있다. 놀랍게도 성경 구절 하나님이 흙으로 사람을 지으시고 생기를 그 코에 불어 넣으시니 사람이 생령이 된지라 에서 '생기'는 성경 원어로 '영'이라는 뜻도 있지만, '호흡'이라는 뜻도 가지고 있다. 이로써 마음에서 영의 실체는 육체의 호흡처럼 생명과 긴밀한 연관 관계가 있다는 사실을 알아낼 수 있다.

호흡은 어떤 역할을 하는가? 호흡은 인체가 음식을 통하여 만들어낸 포도당과, 공기를 통하여 흡수한 산소의 반응을 통하여 에너지를 만들어내는 일을 한다. 인간은 이 에너지를 통하여 생명 활동을 하며 살아갈 수 있게 된다. 음식 자체가 에너지를 만들어내는 것이 아니라 호흡을 해야만 비로소 에너지를 만들어낼 수 있는 것이다. 그런 점에서 호흡은 에너지와 관련이 있다.

영의 역할이 호흡에 대응한다면, 이제 영이란 곧 호흡처럼 인간이 생명 활동을 할 수 있게 해주는 근원 에너지의 역할을 하는 존재라는 사실에 접근할 수 있다. 즉 영은 마음의 생명 작용을 할 수 있게 하는 근원 에너지이자, 육체의 생명 활동을 하게 해주는 근원 에너지가 된다는 것이다. 호흡이 육체에 생명 에너지를 부여하는 역할을 한다면, 영은 인간에게 생명 에너지를 부여하는 역할을 하는 것이다. 그런 점에서 죽음이란 영의 근원 에너지가 더는 육체로 한정된 인간에게 부여되지 않는 상태라고 이해할 수 있다. 에너지가 제로 상태가 되므로 몸과 마음의 활동도 멈추게 되는 것이다.

영은 신의 유전자를 담고 있다

앞에서 하나님은 영에 자신의 유전자를 심어놓았다고 했었다. 여기에서 우리는 유전자의 신비에 접근할 필요가 있다. 과학의 연구에 의해 유전자는 생명체의 최소 단위임이 밝혀졌다. 우주에 존재하는 가장 작은 생명체인 바이러스가 바로 유전자 형태로 구성되어 있다. 유전자는 크게 DNA형과 RNA형이 있는데, 바이러스도 DNA 바이러스와 RNA 바이러스가 있다.

이러한 유전자가 더 진화하여 단백질을 만들어내었고, 단백질이 더 진화하여 세포를 만들어내게 되는데, 이 세포 하나부터 진정한 의미의 생물이 탄생하게 된다. 우리가 흔히 알고 있는 바이러스 다음으로 작은 생물인 박테리아가 바로 세포 하나로 이루어진 생물이다. 박테리아를 이루고 있는 세포 하나에 세포핵과 세포질이 있는데, 세포핵 안에 바로 유전자가 심겨 있다.

최근 유전자 과학에 의해 인간 유전자의 신비가 밝혀지고 있는데, 유전자에는 부모의 육체적 형질도 심겨 있지만, 정신적 형질도 심겨 있어 놀라움을 주고 있다. 이 때문에 자식이 부모의 모습만 닮는 것이 아니라 성격이나 지능, 감성 등 정신적인 부분까지 닮게 되는 것이다. 인간의 유전자에는 이처럼 한 인간의 거의 모든 정보가 담겨 있다고 할 수 있다.

게놈 프로젝트는 인체의 유전정보를 가지고 있는 게놈(genome, 유전자의 집합체)을 해독하여 유전자 지도를 작성하고 이를 연구하고 분석하는 작업이다. 게놈 프로젝트에 의해 인간이 앓고 있는 질병의 정보도 유전자에 있음이 밝혀졌다. 예를 들어 유전자 연구에서 인간의 유전자는 23쌍의 염색체로 이루어져 있는데, 이때 각 염색체는 순서에 따라 번호를 매기게 된다.

이때 2번 염색체의 구조에 변형이 생기게 되면 대장암에 걸리게 된다는 식이다. 이를 통하여 인간의 질병이 생기는 최소 단위의 원인이 세포보다 더 작은 바로 유전자의 변형에 있음이 밝혀졌다. 게놈 프로젝트에서는 이러한 사실을 통하여 변형된 유전자를 정상 상태로 돌려놓으면 질병도 정복할 수 있다는 기대감에 부풀었다. 이른바 화려한 유전자 치료의 등장이었다. 하지만 인위적 유전자 회복 기술로 변형된 유전자의 회복이 쉽게 이루어지지 않는다는 사실이 밝혀졌다. 이 때문에 유전자 치료는 난항에 빠져 있는 상태다.

여기에서 우리는 왜 유전자에 변형이 일어나는지에 대해 생각해볼 필요가 있다. 유전자에 변형이 일어나는 이유에 대해서는 여러 가지 요인이 제시되고 있는데, 음식, 환경 등이 한 예이다. 그런데 유전자의 변형에 결정적 역할을 미치는 것이 인간의 마음작용 때문이라는 사실이 밝혀져 충격을 주고 있다. 인간이 극도의 스트레스 상태에 있을 때 유전자에 변형이 일어난다는 사실이다. 더욱 놀라운 것은 다시 인간이 다시 마음을 고쳐먹고 좋은 마음의 상태로 돌아갈 때 변형된 유전자도 정상적 모습으로 회복된다는 사실이다.

우리는 이 사실을 종합하여 왜 현재의 유전자 치료가 잘 이루어지지 않는지 알아낼 수 있게 된다. 즉, 유전자의 변형은 정신적, 물질적 요인 등 종합적인 요인에 의해 일어나는데, 정신적 요인을 배제한 채 물질적 기술로만 접근했기 때문에 잘 먹혀들지 않았다는 사실이다.

이러한 사실들을 통하여 우리가 분명히 알 수 있는 것은 유전자가 단지 물질적 의미만이 아니라 이보다 더 큰 정신적 의미를 담고 있다는 사실이다. 우리는 유전자의 이러한 성격을 통하여 이제 영의 비밀에도 어느 정도 접근할 수 있게 된다. 즉 인간의 중심마음에 있는 영이 신의 유전자를 담고 있다고 했을 때 그것은 신의 정신적 뜻을 담고 있다는 사실에 접근할 수 있는 것이다.

영은 신의 뜻을 담고 있는 그릇이다

하나님이 인간의 중심마음에 영을 심어놓은 것은 자신의 정신적 뜻을 이어주고 싶었기 때문이라고 할 수 있다. 그렇다면 하나님이 인간에게 전해주고 싶었던 뜻은 무엇이었을까? 이러한 비밀은 인류의 4대 성인을 통하여 밝혀졌다. 그것은 바로 사랑과 정의, 지혜 등과 같은 인류가 이미 알고 있는 정신이다. - 이것이 곧 진리이기도 하다.

예수는 먼저 하나님이 바로 우리의 부모와 같은 존재라고 이해한 최초의 인류라는 점에서 위대한 성인이라고 할 수 있다. 이전까지 신은 인간보다 훨씬 초월한 숭배의 대상이었을 뿐이었다. 심지어 성경의 구약에 등장하는 여호와마저 유대인들은 부모가 아닌 신으로 숭배했다. 부모와 자식 간에 무엇이 존재하는가? 바로 사랑이다. 이로써 사랑은 너무도 소중한 하나님의 뜻이 된다. 하지만 인간은 가정 속에서만 살아가는 존재가 아니라 사회 속에 살아가야 하는 존재다. 이 때문에 정의가 필요하며 지혜도 필요하다. 이로써 정의와 지혜 또한 하나님의 뜻이 된다. 예수는 정확히 이러한 하나님의 뜻을 깨닫고 사랑과 정의, 지혜를 설파했다.

공자는 인의예지신을 설파했는데, 인의예지신을 세 단어로 요약하면 결국 사랑과 정의, 지혜이다. 인이 곧 사랑이요, 의가 정의이며, 예지신이 지혜이다. 석가모니 역시 깨달음을 통하여 불법을 설파했는데, 이러한 불법의 핵심도 결국 사랑과 정의, 지혜로 수렴된다. 나머지 복잡한 불경의 내용은 이러한 사랑과 정의, 지혜를 세분화한 것뿐이다.

하나님은 이러한 성인의 등장을 통하여 인간의 영에 아로새겨 놓은 자신의 뜻을 드러내었다. 그리고 그 사랑과 정의, 지혜의 정신은 여러 현자와 학자들에 의해 연구되고 발전되는 가운데 있다. 세상에 나와 있는 모든 종교적, 철학적 담론들은 결국 사랑과 정의, 지혜를 세분화하여 밝힌 내용이라고 할 수 있다.

인간의 중심마음에는 이처럼 하나님의 뜻이 아로새겨져 있다. 이 때문에 인간은 사회를 이루고 살면서 멸망하지 않고 진화하는 삶을 이루어 나갈 수 있게 된다. 악의 세력이 판을 치지만, 그 가운데서도 사랑과 정의, 지혜를 지키려 애쓰며 살아가기에 인류는 멸망하지 않고 오늘도 발전을 향해 나아갈 수 있는 것이다.

우리는 살아 있는 것을 생명이라고 하지만, 사실 생명이라는 한자어에는 놀라운 뜻이 담겨 있다. 생명生命의 명命 자는 목숨이라는 뜻이 있지만, 그 외에도 명령, 말씀이라는 뜻도 있다. 즉, 생명이란 하나님의 뜻이 담긴 말씀의 명령대로 살아가는 것이다. 그냥 살아 있다고 생명이 아니다. 자연의 모든 만물이 하나님의 명령(뜻)대로 살아간다. 이 때문에 자연은 질서를 유지하며 파괴되지 않고 지속할 수 있다. 인간 역시 인식하지 못하지만, 무의식의 중심마음에 아로새겨진 하나님의 뜻에 따라 살아가려는 본성이 있다. 이 때문에 인간 사회 역시 아직 멸망하지 않고 진화 발전을 이루며 지속할 수 있는 것이다. 하지만 인간은 자연의 만물 중 유일하게 하나님의 뜻을 거슬러 살아갈 수도 있는 존재이다. 왜 인간만 하나님의 뜻을 거슬러 살아갈 수 있는 존재가 되었을까? 그 이유는 속마음의 비밀에 숨어 있다. 이제 속마음의 실체에 대해 알아보는 시간을 갖도록 하자.

속마음은 어떻게 이루어져 있을까?

모든 사람이 중심마음, 즉 영의 뜻대로 살아간다면 이 세상은 이미 천국이 되어 있었을 것이다. 하지만 현재 세상의 모습은 천국보다는 오히려 지옥에 더 가까운 모습이다. 악이 선을 이기는 모습이 난무하고 정의 대신 불의로 인해 인간 사회는 부조리로 점철되어 있다. 도대체 왜 이런 현상이 세상을 지배하고 있을까? 그것은 속마음을 이해할 때 어느 정도 이해할 수 있게 된다.

앞에서 인간의 마음은 겉마음과 속마음, 그리고 중심마음으로 이루어져 있다고 했었다. 이러한 마음을 이해하기 위해 다시

44

한번 마음의 구조를 살펴보도록 하자.

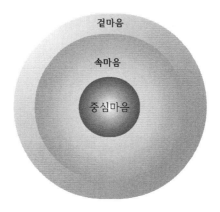

위 마음의 구조는 보기 쉽게 표현한 것으로 실제 물리적 크기로 따진다면 속마음의 크기가 가장 크다고 할 수 있다. 이러한 비물질적 마음의 구조는 물질 원자의 상징을 통하여 어느 정도 유추해낼 수 있게 된다. 다음 원자의 구조를 보라.

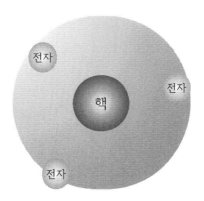

원자는 핵과 빈공간, 그리고 전자로 이루어져 있다. 사실 그림으로 나타내기 위해 핵과 전자의 크기를 이렇게 표현했을 뿐이지 전체 원자에서 핵과 전자의 크기가 차지하는 비중은 학교 운동장에서 모래 한 알에 대비될 정도로 매우 작다. 나머지는 모두가 빈공간이 차지한다. 과학자들은 왜 원자의 빈공간이 이렇게 큰지 아직까지 비밀을 밝혀내지 못하고 있는 상황이다.

마음도 마찬가지다. 마음의 크기에서 겉마음과 중심마음은 매우 작고 대부분은 속마음이 차지하고 있다. 그런 점에서 속마음은 원자의 빈공간에 대응한다고 볼 수 있다. 흔히 심리학자들은 마음을 빙산에 비유하여 의식과 무의식으로 구분하기도 하는데, 이때 의식은 빙산 중 물 위에 드러난 부분이고 무의식은 물 아래에 가라앉은 부분이라 표현하기도 한다. 이것은 겉마음과 속마음의 관계를 매우 적절히 비유한 장면이라고 할 수 있다.

겉마음은 물 밖에 드러나 있기에 우리가 의식할 수 있는 마음이다. 하지만 속마음은 물 아래에 모습을 감추고 있으므로 의식하기 매우 힘든 마음이라고 할 수 있다. 그래서 속마음을 알아내기 위해 학문적 연구가 활발히 이루어지고 있지만, 아직까지 속마음의 실체에 제대로 접근한 연구가 이루어지지 않고 있는 상태다. 필자 역시 지난 10여 년 속마음의 비밀을 알아내기 위해 처절한 사투를 벌여온 사람 중 한 명이다.

어느 날 필자는 속마음의 비밀에 대한 영감을 얻게 되었는데, 여기에 그 내용을 소개하고자 한다. 비물질의 뜻은 물질의 상징에 나타나 있는 법이라고 했었다. 따라서 속마음의 비밀도 결국 자연의 물질에서 상징을 찾아야 한다. 속마음에 대한 최초의 영감은 암흑물질에서 시작되었다. 우주 역시 원자의 구조와 마찬가지로 대부분이 빈공간으로 이루어져 있다. 그런데 과학의 연구에 의해 우주의 빈공간이 아무것도 없는 무無 상태가 아니라 암흑물질과 섞여 있는 상태라는 것이 밝혀졌다. 그렇다면 여기서 암흑물질이란 무엇인가?

다음은 다음백과사전에서 정의하고 있는 암흑물질에 대한 설명이다.

"암흑물질은 우주를 구성하고 있는 것으로 추정되지만 아직 알려지지 않은 물질을 말한다. 1960년대 미국의 천문학자 베라 루빈이 거대한 미지의 질량이 은하 안에 있다고 주장했는데 이것이 암흑물질과 관련된 연구의 출발이다. 암흑물질은 우주의 26.8%를 차지, 일반물질을 다 합한 것보다 5배 이상 많으면서도 2023년 현재까지 명확히 관측된 적이 없다. 암흑물질의 후보로는 행성, 블랙홀 등 잘 관측되기 어려운 마초(MACHO) 같은 천체들이나 전하를 가지고 있지 않아서 빛을 흡수하거나 방출하지 않아서 검출하기 어려운 윔프(WIMP)와 엑시온(Axion) 같은 소립자들이 있다."

만약 과학의 문외한이라면 다음백과사전의 이 설명이 잘 이해되지 않을 것이다. 필자는 이것을 공기로 비유하고자 한다. 공기는 인간의 눈에 보이지 않지만 분명 존재하는 실체이다. 주성분은 질소와 산소 등의 무해한 기체이지만 인간의 산업 발전으로 인해 오염된 물질들이 공기층에 들어오게 되었다. 대표적인 것이 미세먼지를 포함하여 질소산화물, 황산화물 등의 유해 기체이다. 공기에 포함된 이러한 유해 성분들은 인간의 생명을 위협함은 물론 지구의 생존까지 위태롭게 할 만큼 나쁜 영향을 주고 있다.

마치 텅 빈 공간처럼 보이는 인간의 속마음이 바로 이 공기와 비슷한 구조를 하고 있다. 맑은 공기에 해당하는 순수마음이 있는가 하면 오염된 공기에 해당하는 탁한 마음도 있는 것이다. 즉 속마음은 순수마음 + 탁한 마음으로 이루어져 있다고 할 수 있다.

순수마음과 탁한 마음의 이해

순수마음은 바로 중심마음에서 발현된 마음이다. 이 때문에 순수마음 역시 사랑, 정의, 지혜 등 하나님의 뜻이 반영되고 있다. 사람들이 이러한 순수마음을 인식할 수 있는 방법이 있는데, 바로 양심을 통해서다. 불쌍한 사람을 보면 나도 모르게 가슴이 먹먹해지며 돕고 싶은 마음이 생기는데, 이때가 바로 양심이 작동하는 순간이다. 이러한 그런 점에서 순수마음은 곧 양심이라고도 할 수 있다. - 하지만 모든 양심이 순수마음인 것은 아니다. 그런 점에서 순수마음과 양심은 순수마음 > 양심의 관계를 가진다.

이러한 순수마음은 모든 인간이 공통으로 가지고 있는 마음이기에 한 사람의 마음에만 있는 것이 아니라 각 사람끼리 서로 연결되어 있다. 이 때문에 순수마음의 연결이 큰 사람은 자신도 모르게 다른 이를 품게 된다. 이러한 순수마음의 연결이 크면 클수록 더 많은 사람을 품게 된다. 예수는 온 인류를 품었기 때문에 순수마음이 가장 큰 성인이었다고 할 수 있다.

속마음에 순수마음만 있으면 좋겠지만, 동시에 탁한 마음도 함께 존재한다. 여기에서 탁한 마음이란 공기에 떠다니는 오염물질과 같은 마음이라고 할 수 있다. 이러한 탁한 마음에서 온갖 미움, 시기, 질투, 불평, 불만, 분노, 불안, 염려, 두려움 등과 같은 부정적 마음들이 나오게 된다.

순수마음은 다른 사람과 연결된 마음으로 나타나지만, 탁한 마음은 분리된 개인 중심으로 나타난다. 순수마음은 서로 연결되어 하나로 작동할 수 있는 마음이지만, 탁한 마음은 개별적으로 분리되어 나타나는 마음이기 때문이다. 인간의 이기심이나 자기 중심성이 바로 이 탁한 마음에서 발현하는 마음이라고 할 수 있다. 이 자기 중심성 때문에 인간은 갈등하고 다

투며 심지어 전쟁까지 벌이게 되는 것이다.

이러한 탁한 마음 역시 인식할 방법이 있는데, 바로 욕심을 통해서다. 남과 비교하고 더 가지고자 하는 인간의 본능이 바로 이 욕심에서 비롯된다. 그런 점에서 탁한 마음은 곧 욕심이라고 할 수 있다. - 하지만 모든 욕심이 탁한 마음인 것은 아니다. 그런 점에서 탁한 마음과 욕심은 탁한 마음 > 욕심의 관계를 가진다.

우리는 미세먼지가 많이 낀 날은 멀리 있는 산을 잘 볼 수가 없게 되는데, 마찬가지로 탁한 마음이 많이 낀 사람은 중심마음을 잘 볼 수가 없다. 그뿐만 아니라 세상의 본질을 왜곡하여 보게 되므로 문제를 일으키게 된다. 인생의 모든 문제는 바로 이 탁한 마음의 왜곡 때문에 일어나게 된다.

만약 인생을 잘 살고 싶다면 이러한 탁한 마음의 문제를 해결해야 한다. 앞에서 생명이란 하나님의 뜻대로 살아가는 것이라고 했는데, 이것을 인생에 적용하면, 인생이란 하나님의 뜻대로 살아가기 위해 탁한 마음의 문제를 해결해나가는 과정이라고 할 수 있다. 사실 하나님이 인간을 우주 속에 만든 목적이 바로 여기에 있는지도 모른다. 만약 당신이 이 이론에 동의한다면 이제부터 당신의 삶을 탁한 마음을 정화하는 데 투자해 보라. 비로소 당신의 인생은 달라질 것이다.

겉마음의 구성요소

이제 마음의 구성요소 중 마지막 겉마음의 비밀에 대해 접근할 시간이다. 겉마음은 겉에 드러나 있으므로 '표현'이라는 프로그램이 작동하게 된다. '표현'이라는 프로그램이 작동하는 이유는 알아차릴 수 있게, 인식할 수 있게 하기 위함이다. 이를 컴퓨터에 비유하자면 컴퓨터에 내재된 프로그램이 속마음이요, 디스플레이를 통하여 드러나는 것이 겉마음이라고 할 수 있다. 따라서 우리는 겉마음을 통하여 모든 것을 인식하고 알아차릴 수 있게 된다.

겉마음으로 나타나는 표현 프로그램의 대표적인 것이 생각, 감정, 느낌(감각) 등이다. 생각을 통하여 속마음의 지식이 표현되고, 감정을 통하여 속마음의 상태가 표현된다. 느낌, 감각의 경우 조금 특별한 것으로 속마음은 물론 육체와의 상황을 소통하기 위한 프로그램으로 작동하는 도구이다. 세상 사람 대부분이 생각과 감정의 노예로 살아가는 경우가 많은데, 그것은 생각과 감정에 대해 제대로 모르기에 나타나는 결과이다. 만약 생각과 감정의 실체를 제대로 알게 되면 절대 생각과 감정의 노예로 살아갈 수가 없게 된다. 사실 필자가 생각과 감정의 노예로 살아온 대표적 인물이었다. 하지만 생각과 감정의 실체를 알게 되므로 더는 생각과 감정의 노예로 살아가지 않을 수 있게 되었다. - 이 책의 뒷부분에서 생각과 감정, 느낌의 실체에 대해 제대로 다룰 것이다.

겉마음은 결국 속마음의 표현 프로그램이 작동하는 마음이라고 할 수 있다. 사람을 잘 보면 겉모습과 속모습이 있는데, 눈으로 볼 수 있는 것은 겉모습뿐이다. 겉모습으로 나타난 현상을 통하여 우리는 속모습을 유추해낼 수밖에 없다. 겉마음 역시 마찬가지로 겉마음을 통하여 드러나는 현상으로 속마음을 알아낼 수 있다.

겉마음을 제대로 이해하기 위해 다시 인간의 구조에 대한 그림을 살펴보도록 하자.

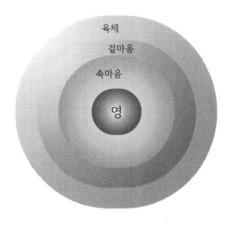

겉마음은 속마음과 맞닿아 있는데, 이때 순수마음과 탁한 마음이 동시에 맞닿게 된다. 한편 겉마음은 속마음과 맞닿아 있지만, 육체와도 직접으로 맞닿아 있는 특징을 가지고 있다. 이 때문에 겉마음은 육체의 요구에 휘둘릴 수밖에 없는 특징을 가지고 있다. 육체는 3대 본능을 갖고 있다. 식욕(물욕)과 성욕, 수면욕이 그것이다. 육체는 이 본능이 채워지지 않을 경우 겉마음에 신호를 보내게 되는데, 이때 겉마음은 요동하게 된다. 또한, 육체는 눈으로 세상을 보게 되는데, 이때 온갖 비교의식으로 인한 물욕, 권력욕, 명예욕이 작동하여 겉마음을 요동시키게 된다.

이러한 육체의 요구에 대한 겉마음의 요동은 곧 속마음의 발현을 부르게 되어 이와 연관된 생각과 감정을 표출하게 된다. 이때 속마음의 양심이 더 강한 사람과 욕심이 더 강한 사람의 생각과 감정 표출은 상이하게 나타난다. 욕심이 더 강한 사람은 비교의식, 열등감, 이기심, 분노 등의 생각과 감정이 나타나 삶을 분열 속으로 이끌거나 욕심을 이루어 남들보다 더 많은 돈이나 권력이나 명예를 가진 사람이 된다. 반면 양심이 더 강한 사람은 받아들임, 절제, 이해 등의 생각과 감정이 나타나 문제해결의 방향으로 삶을 이끌어 더 성숙한 사람으로 이끌게 된다.

더 큰마음들의 이해

지금까지 마음의 구조에 대한 전반적인 이해를 구하는 시간을 가져보았다. 한 가지 알아야 할 사실은 지금까지 이야기한 것은 한 개인의 마음에 관한 이야기였다는 부분이다. 마음이란 신비로운 것이어서 한 개인의 마음을 아는 것만으로는 마음을 온전히 이해할 수 없다. 마음은 한 개인 내부에 따로따로 존재하는 것도 있지만 집단적, 사회적 마음도 존재하기 때문이다. 분석 심리학의 창시자, 칼 융은 이를 '집단 무의식'이라 표현하기도 했다.

다음백과사전에서는 집단 무의식을 다음과 같이 표현하고 있다.

"전 인류에 공통되며 뇌의 선천적 구조에서 비롯되는 무의식(개인이 인식하지 못하는 기억과 충동을 포함하는 정신의 일부분)의 한 형태이다. 집단 무의식은 개인적인 경험에서 나오는 개인적 무의식과는 구별되며, 원형, 즉 보편적인 원초적 상과 관념을 내포한다."

사전적 정의에 의하면 집단 무의식은 태어난 후에 경험하며 쌓는 것이 아니라 태어날 때부터 이미 선천적으로 갖고 나오는 어떤 것이라고 할 수 있다. 그런데 그 어떤 것이 한 개인 고유의 성질에서 나오는 관념이 아니라 집단적 사고에서 나오는 관념이라는 것이 바로 집단 무의식의 실체이다.

집단 무의식에는 이런 성질의 것도 있지만 집단 문화에 의해 자신도 모르게 형성되는 집단 무의식도 있다. 예를 들면 한국 사회에 태어나 사는 사람은 자신도 모르게 한국 문화와 관련된 집단 무의식이 형성되는 것이다.

한 개인이 갖는 속마음의 심층에는 개인의 경험에서 쌓는 무의식뿐만 아니라 이러한 집단 무의식까지 함께 형성되어 있다. 그런데 이러한 집단 무의식은 내부에서 만들어지는 것이 아니라 외부 어떤 곳에서 육체 안으로 들어오는 개념으로도 이해할 수 있다. 이런 기준으로 마음을 이해할 때 이제 마음은 단지 좁은 육체 속에만 갇혀 있는 작은 크기가 아니라 육체 바깥으로 연결되는 큰마음도 있다는 사실을 알아낼 수 있게 된다.

그동안 인류는 당연히 마음이 육체 안에만 있다고 생각해왔다. 하지만 개인의 마음은 바깥의 집단 무의식과도 연결되어 있으므로 반드시 육체 안에만 있다고 할 수 없으며 얼마든지 육체 밖과도 연결될 수 있다. 이때 마음의 연결이 얼마나 퍼져 나갈 수 있느냐에 따라 그 사람의 마음 크기가 결정될 수 있다. 대개 속이 좁다 하는 평을 듣는 사람은 이기심의 우물에 갇혀 있으므로 자신의 육체 안에 갇힌 마음의 크기에서 벗어나지 못한다. 하지만 속이 바다처럼 넓다는 평을 듣는 사람은 이미 마음이 육체 밖 여러 사람과도 연결되어 있을 정도로 마음의 크기가 큰 상태에 있다고 할 수 있다.

이러한 마음의 크기에 관여하는 것이 바로 속마음의 순수마음이다. 앞에서 순수마음은 중심마음에서 발현된 옳음과 바름을 추구하는 마음으로 모든 사람에게 공통으로 내재하여 있으므로 개별적 욕심이 아닌 집단적 양심으로서 나타나는 성질이 있다고 했었다. 이러한 집단적 양심은 분열되지 않은 전체로 작동하기 때문에 순수마음이 큰 사람은 마음의 크기가 커질 수밖에 없다. 즉, 속마음에서 순수마음의 비율이 탁한 마음보다 상대적으로 큰 사람들은 마음의 크기가 더 클 수밖에 없다는 이야기다.

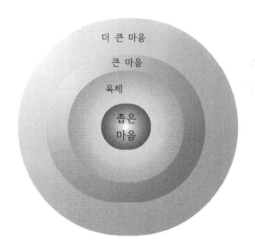

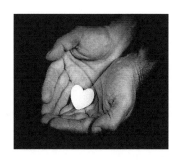

2장

마음의 실체에 대한 탐구

마음의 차원에 대한 이해

인류에 철학과 종교가 등장한 이래 마음은 가장 큰 연구의 대상이었다. 도대체 마음이 무엇이기에 이토록 인간을 휘두르며 세상을 복잡하게 살아가게 할까? 필자 역시 마음에 눈을 뜨면서 도대체 마음이 무엇인가에 대해 파고들면서 공부를 거듭하였다. 마음을 알아야 마음이 일으키는 작용에 지혜롭게 대처할 수 있기 때문이다.

사실 대부분 사람은 이 마음이 무엇인지도 모른 채 마음에 휘둘리며 살아간다. 하지만 마음을 알게 되면 비로소 내가 마음을 컨트롤하며 살아갈 수 있게 된다. 그런 점에서 마음을 아는 것은 무엇보다 중요하다. 그동안 마음은 주로 종교에서

다루다가 철학에 의해 사유 되었고 근대 이후 심리학이 발달하면서 그 실체가 조금씩 벗겨지고 있다. 뇌과학의 발달은 마음의 실체에 다가가는 데 큰 도움을 주고 있으며, 최근 등장한 홀로그램 우주론은 과학과 철학, 종교의 만남을 성사해주었다는 점에서 큰 의미가 있다고 할 수 있다.

필자는 이러한 모든 학문을 접하고 거기에서 깨달은 영감을 통하여 이해한 지식을 바탕으로 마음의 구조를 정리하게 되었다. - 나는 이것을 하나님이 중심마음의 영을 통하여 영감을 주는 과정이라고 생각한다. - 다음은 필자가 이해한 마음의 전체적 구조를 그린 것이다.

인간이 살고 있는 세계는 물질 차원의 세계와 비물질 차원의 세계로 나눌 수 있다. 앞에서도 이야기했듯 세상의 모든 물질은 비물질의 뜻에 따라 만들어졌다고 했었다. 따라서 물질 차원보다 비물질 차원의 세계가 더 고차원의 세계가 된다. 이때 편의상 물질 차원을 3차원, 비물질 차원을 4차원이라고 생각해보자.

마음은 비물질에 속하는 것으로 4차원의 성격을 가진다. 4차원은 1~3차원보다 고차원이므로 얼마든지 4차원뿐만 아니라 1~3차원까지 넘나들 수 있다. 하지만 3차원의 물질은 절대 4차원의 비물질을 넘나들 수 없다. 고로 마음은 비물질 세계인 4차원부터 물질세계인 우주, 지구, 인간의 몸을 넘나들 수 있다. 이러한 성질을 가진 마음이 현재 인간의 몸 안에 내재해 있는 것이다.

마음을 이해할 때는 이처럼 폭넓은 개념으로 접근할 필요가 있다. 원래 마음의 본질은 4차원에 있다고 할 수 있다. 그런 마음이 어떤 연유 때문에 3차원, 그것도 비좁은 인간의 몸 안에 들어온 것이다. 3차원에 등장한 마음은 육체 속뿐만 아니라 3차원 세계 전체에도 편재해 있을 수 있는데, 이때의 마음을 인식한 칼 융이 이처럼 3차원에 편재된 마음을 집단 무의식이라고 표현했다고 볼 수 있다. 그리고 이러한 마음은 이제 한 인간의 육체 안에도 내재해 있게 된다.

그렇다면 마음은 왜 이처럼 차원 여행을 하는 것일까? 그 원인은 마음의 불완전성에서 찾을 수 있다. 4차원에서 탄생한 마음은 처음부터 완성품으로 만들어진 것이 아니라 마치 나무가 자라는 것처럼 성장하여 완성되는 구조로 만들어졌다. 이러한 마음이 성장하기 위해서는 물질과의 만남이 절대적으로 필요하다. 왜냐하면, 비물질은 형태를 가지지 않기 때문에 형태를 가지는 물질을 통하여 비로소 성장해나가는 모습을 확인할 수 있기 때문이다.

이러한 마음의 성장 프로그램으로 만들어진 것이 바로 물질 우주다. 물질 우주가 만들어진 목적은 결국 성경 창세기에서 그린 것처럼 마음을 담을 그릇, 즉 인간의 육체를 만들기 위해서였다. 그렇게 무려 147억 년의 시간 동안 우주 진화의 과정이 이루어졌고, 인간의 육체가 탄생하였다. 이때 비로소 마음은 인간의 육체 안에 들어오게 된 것이다. 그리고 마음은 인간의 육체와 함께 완성품이 되어가기 위해 오스트랄로피테쿠스 - 호모 에렉투스 - 호모 사피엔스로 진화해 가며 오늘의 인류에 이르게 되었다.

물질에 마음의 성장비결이 담겨 있다

현재 인류는 마음의 작용에 의해 자연을 정복하며 인류 문명 사회를 건설해 나가고 있다. 현대의 물질문명은 컴퓨터, 인터넷, 스마트폰, 인공지능의 개발로 초고도 사회를 향해 달려가고 있다. 이 모든 것은 마음의 지식작용이 이뤄낸 성과다. 그러나 마음의 진화가 아직 완성단계에 다가가고 있는 상태는 아니라고 할 수 있다. 왜냐하면, 마음의 외형적 성장은 이루었지만, 내면적 성장은 아직 진행단계에 있기 때문이다.

모든 물질은 비물질을 상징하는 존재라고 했었다. 이는 물질의 모습을 통하여 비물질의 뜻을 유추해낼 수 있음을 뜻한다.

예를 들어 나무라는 물질이 마음이라는 비물질을 상징한다고 했을 때 마음이 자라기 위해서는 먼저 나무가 자라는 것처럼 외형적 성장이 이루어져야 한다. 지금까지 마음이 달려온 물질 발전의 역사는 이러한 외형적 성장을 이루는 단계였다고 할 수 있다. 나무의 크기가 어느 정도 자라고 나면 드디어 나무는 열매를 맺게 된다. 마찬가지로 마음 또한 이제 외형적 성장이 이루어지고 나면 나무가 열매를 맺는 것처럼 내면적 성숙이 이루어져야 한다. 인류는 지금 이 성장 단계에 직면해 있다고 할 수 있다.

현재 인간의 마음을 살펴보면 여전히 나약하기 이를 데 없다. 물질의 성장에 비교하여 마음의 성장은 더딘 가운데 있는 것처럼 보인다. 이는 아직 마음의 내면적 성숙이 일어나지 않았기 때문에 나타나는 현상이라고 볼 수 있다. 성장의 단계가 외면적 성장이 먼저 이루어지고 다음으로 내면적 성숙이 이루어진다고 했을 때 인류는 그동안 성장시킨 물질의 발전을 바탕으로 이제부터 내면적 성숙에 이르기 위해 노력해야 한다. 여기에서 주목해야 할 점은 내면적 성숙에 이르기 위해서는 물질을 바탕으로 해야 한다는 사실이다. 왜 물질을 바탕으

로 내면적 성숙에 이를 수 있다고 하는 것일까? 그것은 앞에
서도 이야기했듯 물질이 비물질을 상징하는 원리 때문이다.
물질에는 반드시 비물질의 뜻을 품고 있는 상징이 담겨 있게
마련이다.

마음의 상징은 컴퓨터에 숨어 있다

마음의 성장에 대한 답을 얻기 위해서는 물질의 상징에서 그 해답을 찾을 수 있다고 했었다. 물질의 발전과정을 보면 처음 기계부터 시작하여 컴퓨터 - 인터넷 - 스마트폰 - 인공지능 등으로 이어져 왔음을 알 수 있다. 이러한 물질의 발전과정은 우연히 일어난 것이 아니다. 갑자기 컴퓨터가 등장한 것이 아니며, 갑자기 인터넷이 개발된 것이 아니다. 인공지능 역시 마찬가지다.

컴퓨터는 무엇을 상징하는 물질일까? 놀랍게도 컴퓨터의 구조는 인간과 닮아 있다. 그런 점에서 컴퓨터는 인간을 상징하는 물질이라고 할 수 있다. 컴퓨터 전체가 인간의 육체에 해당한다면 CPU는 인간의 두뇌에 해당한다. 그 외 주기억장치인 램(RAM)은 두뇌의 해마에 해당한다고 할 수 있다. - 뇌과학에서 해마는 기억과 관련된 기능을 하는 것으로 밝혀져있다. - 하지만 해마는 램(RAM)이 컴퓨터가 작동되는 시간동안의 단기기억만 저장하는 기능이 있는 것처럼 인간이 활동하는 기간의 기억만을 담당하고 나머지 모든 기억까지는 저장하지 않는 것으로 밝혀져 있다.

그렇다면 인간의 모든 기억을 저장하는 곳은 어디일까? 아마도 대부분 사람은 뇌에 저장되어 있다고 생각할 것이다. 컴퓨터의 경우 보조기억장치인 하드디스크에 컴퓨터의 모든 기억을 저장하고 있다. 그렇다면 인간의 뇌가 컴퓨터의 하드디스크에 해당하는 기억 장치일까? 하지만 이에 대해서는 아직설왕설래가 많다. 당연히 인간의 모든 기억이 뇌에 저장된다고 생각하는 사람들이 많겠으나 뇌가 인간의 모든 기억을 저장하고 있다는 확실한 증명은 해내지 못하고 있는 상황이다. 예를 들어 쥐를 상대로 실험했을 때 뇌의 일정 부분을 제거해도 정상적인 지능으로 활동할 수 있다는 사실이 실험을 통하여 증명되었다. 인간도 사고에 의해 뇌의 일정 부분을 손상 당했음에도 정상적인 지능으로 생활하는 케이스가 있다는 사실이 발견되었다.

두뇌가 인간의 지각과 인지 활동을 제어하고 조절하는 중추인 것은 확실하지만, 그렇다고 두뇌에 그동안 쌓은 모든 기억이 저장된다는 사실은 아직 증명되지 않고 있는 상태인 것이다. - 필자의 연구로는 인간의 기억이 뇌뿐만 아니라 유전자에도 저장된다고 생각한다. - 이런 가운데 발명된 것이 바로 인터넷이다. 인터넷의 등장은 인간에게 새로운 공간개념을 알려주었다. 우리는 실제 물질 공간만이 인정할 수 있는 공간이라고 생각했으나 물질 공간이 아닌 가상공간도 존재할 수 있음을 알게 된 것이다.

그렇다면 인터넷의 가상공간은 비물질의 무엇을 상징할까? 그것은 바로 비물질 공간을 상징한다고 이해할 수 있다. 즉 그동안 공간이란 물질 공간만이 존재한다고 생각했으나 비물질도 얼마든지 공간이 만들어낼 수 있음을 알게 된 것이다.

인터넷 개발 이후 인류의 삶은 완전히 달라지게 되었다. 그동안 컴퓨터에 저장할 수 있는 데이터는 용량의 제한을 받았으나 이제 용량의 제한을 받을 필요가 없게 되었다. 온라인 공간에 데이터를 저장할 수 있게 되었기 때문이다. 온라인 공간에 데이터를 저장한다는 것은 비물질 개념으로 이루어졌다는 점에서 큰 의미가 있다. 왜냐하면, 온라인 공간이나 데이터 모두 물질보다 비물질 개념을 갖고 있기 때문이다.

비물질 개념의 온라인 공간에 비물질 개념의 데이터를 저장한다는 것은 무엇을 상징하는 걸까? 이것은 곧 비물질인 기억이 온라인 공간과 같은 비물질 공간에도 저장될 수 있음을 의미한다. 우리는 기억이란 당연히 뇌에 저장된다고 인식하고 있다. 이것은 뇌과학에서도 어느 정도 밝혀지고 있는 부분이기도 하다. 하지만 인간의 모든 기억이 뇌에 저장된다는 주장에 대해서는 이견도 만만치 않다.

이 부분에서 이상한 점이 발견된다. 왜 비물질인 기억이 꼭 물질인 뇌에만 저장되어야 한다고 접근하는 것일까? 기억은 분명 비물질이기 때문에 비물질인 마음에 저장되는 것이 더

어울려 보인다. 물론 뇌가 기억의 저장작용에 관여하는 매개체의 역할을 하는 것은 분명하다. 하지만 이것은 마치 컴퓨터의 기억 장치에 해당하는 역할을 할 뿐 실제적인 기억의 저장은 마음에서 이루어진다고 보는 것이 더 논리적으로 보인다. 하지만 뇌과학은 어느 정도 발전하고 있으나 마음 과학은 아직 등장도 하지 않았기 때문에 뇌에만 집중하고 있는 한계에 놓인 것이 아닌가 생각된다. 분명히 알아야 할 것은 마음은 비물질적인 요소로 물질인 뇌보다 훨씬 큰 개념의 존재라는 사실이다.

마음의 구성요소 - 지정의

이 지점에서 마음의 구성요소에 대해 살펴보도록 하자. 그동안 학자들이 밝힌 마음의 구성요소 중 마음이 지정의로 구성되어 있다는 주장이 가장 설득력을 얻고 있다. 즉 마음은 지식, 감정, 의지로 구성되어 있다는 것이다. 이때 지식, 감정, 의지 등의 개념은 매우 포괄적인 접근이기에 좀 더 세분화하는 작업이 필요하다.

우리가 마음을 이야기할 때 가장 많이 거론되는 것이 '생각'일 것이다. 생각은 마음의 지정의 중 어디에 해당할까? 또한, 인간의 마음 중에는 감이나 촉이라고 부르는 느낌도 있고 오감으로 느끼는 감각도 있다. 그렇다면 느낌이나 감각은 지정의 중 어디에 해당하는 것일까? 또 '영혼'이란 단어와 개념이 엄연히 존재하고 있는데, 이때 영혼은 지정의 중 어디에 해당하는 것일까? 무엇보다 인간은 말하는 존재이다. 그렇다면 말은 지정의 중 어디에 해당할까? 마음을 이해하려고 할 때 학문적 틀에 매이기보다는 실체적으로 드러나는 모든 것을 다루고 이해하는 자세를 가지는 것이 중요하므로 이 책에서는 이러한 마음의 실체적인 요소들에 대하여 모두 다루고자 한다.

실체적 마음의 요소를 정리해보면, 영(영혼), 감정, 감각, 느낌, 지식, 생각, 의지, 말 등으로 나눌 수 있다. 이 모두를 합쳐 마음이라고 한다. 그리고 이러한 마음은 몸과 긴밀히 연결되어 있다. 마음은 왜 몸과 긴밀히 연결되어 있을까? 몸은 음식을 담는 그릇처럼 마음을 담는 그릇의 역할을 한다고 볼 수 있다. 하지만 마음은 음식처럼 볼 수도 맛볼 수도 없는 비물질적 성격을 가지기 때문에 물질 세상에서는 겉으로 드러나는 표현방식이 필요하다. 컴퓨터를 예로 들면 CPU와 각종 소프트웨어 프로그램 등은 기억 장치에 저장된 컴퓨터의 데

이터를 모니터를 통하여 표현하기 위해 존재하는 요소들이라고 할 수 있다. 마음 역시 마음의 데이터를 표현하는 방식이 필요한데, 이를 위해 존재하는 요소들이 바로 감각, 느낌, 감정, 생각, 의지, 말 등이라는 것이다.

마음에 내재한 지식과 마음의 상태가 표출되는 방식으로서 감정, 생각, 말, 의지 등이 존재한다고 볼 수 있다. 또한, 외부의 정보를 받아들이고 내재한 정보를 표출하는 방식으로서 감각, 느낌 등이 존재한다고 볼 수 있다. 이러한 마음의 표현 방식에 해당하는 요소들을 제외하고 나면 마음에 남는 것은 사실 지식데이터뿐이다. 그런 점에서 마음 그 자체는 하나의 비물질적 지식데이터라고 볼 수 있다.

지식이란 무엇일까?

우리는 지식이 무엇인지 너무도 잘 알고 있다. 국어사전에 의하면 지식을 '교육이나 경험, 또는 연구를 통해 얻은 체계화된 인식의 총체'라고 정의하고 있다. 한마디로 말해 '아는 것'이 곧 지식이라고 할 수 있다. 컴퓨터로 치면 데이터에 해당하는 것이 곧 지식이다.

인간의 삶은 영화와 같다고 할 수 있는데, 영화는 이야기와 이미지, 소리 등으로 구성되어 있다. 인간의 삶 역시 이미지와 소리 등으로 구성된 자연 속에서 이야기를 만들어가며 살아가는 구조로 이루어져 있다. 이때 이미지와 소리, 이야기

등이 모두 지식에 해당한다. 이미지를 통해 알게 되고 소리를 통해 알게 되며 이야기를 통해 알게 되기 때문이다. 그런 점에서 인간의 삶 자체가 사실상 지식을 쌓아가는 총체적 활동이라고 할 수 있다.

그런데 지식에 대해 한 꺼풀 더 들어가 보면 아는 것은 단순하게 규정할 수 있는 것이 아니다. 알기 위해서는 인식이라는 단계가 있어야 한다. 인식이란 '사물을 분별하고 판단하여 아는 일'로 알아야 할 대상을 받아들이는 작용을 뜻한다. 이러한 인식이 있으려면 또 의식이 있어야 한다. 의식이란 깨어 있는 상태로 인식하는 것을 뜻한다. 이로써 우리는 인식과 의식이 함께 작용함으로써 지식을 얻게 된다는 사실을 알 수 있다.

지식은 또한 받아들이는 정도에 따라 지성과 이성 작용이 함께 일어난다. 지성이란 일반 지식보다 좀 더 고도의 지식작용이 일어나는 상태를 말한다. 이러한 지성 상태에서 각종 이념이나 사상 등이 만들어질 수 있다. 이성이란 '인간으로서 바르게 판단하는 능력'으로 이성이 흔들릴 때 인간 이하의 행동을 하게 된다.

교육학에서 지식은 아는 지식(명제적 지식)과 할 수 있는 지식 (절차적 지식)으로 구분하기도 한다. 여기서 아는 지식이란 그 냥 학습이나 경험, 추론 등을 통하여 알게 된 지식을 뜻한다. 그러나 아는 지식은 알긴 알지만 내가 그것을 할 수 있는 지 식은 아닌 상태이다. 할 수 있는 지식은 내가 그것을 알 뿐만 아니라 할 수 있게 된 지식이다. 예를 들어 운전하는 방법을 아는 지식과 실제 운전을 할 수 있는 지식은 차이가 있는 것 이다.

또한, 지식은 수준에 따라 학습지식, 경험지식, 지혜 지식 등 으로 구분할 수도 있다. 학습지식이란 학습을 통하여 배우고 깨달은 지식을 뜻한다. 주로 학교에서 학습지식을 배우게 된 다. 이것은 앞에서 구분한 아는 지식에 해당한다고 볼 수 있 다. 경험지식은 실제 현장에서 배우는 지식을 뜻한다. 주로 직업을 영위하는 가운데 경험지식을 배우게 된다. 이것은 실 제 내가 할 수 있는 지식이므로 앞에서 이야기한 할 수 있는 지식에 해당한다. 따라서 학습지식보다 경험지식이 더 높은 수준의 지식이라고 할 수 있다.

하지만 인생은 학습지식이나 경험지식만으로 해결되지 않는 복잡계로 구성되어 있다. 시시각각 문제가 닥쳐오는 것이 곧 인생이다. 지혜 지식이란 이러한 삶에서 닥치는 문제를 해결하는 지식을 뜻한다. 실제 지혜의 사전적 뜻도 '사물의 이치나 상황을 제대로 깨닫고 그것에 현명하게 대처할 방도를 생각해내는 정신의 능력'이라고 나와 있다.

지식이란 이 모든 의미를 포함하는 총체적 의미를 담고 있는 개념이다. 인간이 사회 속에서 인간답게 살아가기 위해서는 이러한 지식을 습득해야 한다. 지식의 습득 정도에 따라 사회에서 위치가 정해지고, 인간은 그 위치에서 사회생활을 영위하며 살아가게 된다.

이러한 지식의 총체적 저장고가 바로 마음이다. 뇌과학자들은 뇌에 이러한 지식이 저장되어 있다고 주장하지만, 아직 그럴듯한 증명을 내놓고 있지 못하다. 지식은 비물질이며, 비물질적 요소는 비물질적 마음에 저장되는 것이 이치에도 맞다. 마음을 연구하는 필자 관점에서 뇌는 단지 이러한 지식을 작동시키는 물질적 도구에 불과하다는 생각이다. 마음은 이러한 지식을 저장한 후 느낌, 생각, 감정 등을 통하여 지식을 사용할 수 있도록 프로그램되어 있다. 그런 점에서 마음은 사실상 지식의 총체라고 할 수 있는 것이다.

감각이 곧 지식으로 연결된다

앞에서 마음은 지식의 총체라고 이야기했다. 여기에서 문제가 발생한다. 마음이 지식의 총체라면 이제 이러한 지식이 들어오고 나갈 수 있는 장치가 구성되어야 한다. 지식이 들어와야 마음이 채워질 것이고, 또 이렇게 채워진 지식이 나가야 비로소 지식을 사용할 수 있게 될 것이다.

앞에서 지식은 소리(말), 이미지, 이야기 등으로 구성된다고 했었다. 이러한 소리(말), 이미지, 이야기 등을 인식하기 위해 감각기관이 필요하다. 이러한 감각기관으로 흔히 5감이 알려져 있다. 시각, 청각, 후각, 촉각, 미각 등이 그것이다. 그러나

과학적 분석에 의하면 실제 감각은 오감 외에도 심부감각, 내장감각, 평형감각, 체성감각 등이 더 있는 것으로 밝혀졌다. 심부감각이란 피부와 내장의 중간 영역에서 발생하는 감각으로 몸의 각 부분의 위치나 몸에 가해지는 저항 등을 감지하는 감각이다. 예를 들어 왼손을 머리 뒤로 향한 뒤 아래위로 흔들면 실제 보이지 않는 데도 손의 위치를 느낄 수 있는데 이것이 바로 심부감각이 작용하기 때문이다. 내장감각은 인체의 내장이 느끼는 감각으로 이를 통하여 속에서 이루어지는 느낌을 감지할 수 있다. 평형감각은 인체가 평형을 유지할 수 있게 해주는 감각이며, 체성감각은 접촉하지 않고도 피부가 느끼는 감각으로 이를 통하여 온도나 주변의 상태 등을 느낄 수 있다. 이 모든 감각을 포함하면 인체의 감각은 9감으로 이루어져 있다고 해야 할 것이다.

그런데 인체는 이 외에 정신적 감각도 있는데, 이를 흔히 육감이라 표현하기도 한다. 불교 용어로는 '촉'이라 불리고 기독교 용어로는 '영감'이라 불린다. 이러한 육감은 육체의 감각이 반응하는 것이 아니라 정신적 느낌이 반응하는 것으로 이를 통하여 사물이나 사람에 대한 분별이나 판단을 할 수 있게 된다.

육감까지 포함한다면 인간의 감각은 총 10가지로 이루어져 있다고 할 수 있다. 중요한 것은 이러한 감각을 통하여 인체는 사물을 알아차리고 이 신호가 뇌로 전달되어 지식으로 저장된다는 사실이다. 그리고 이러한 감각은 생각, 말 등과 함께 다시 마음에 저장된 지식을 표출하는 데에도 사용된다.

감정으로 마음의 상태가 표현된다

마음에 내재한 지식은 밖으로 표현되어야 비로소 작동할 수 있게 된다. 이러한 지식의 표현방식으로서 존재하는 것들이 바로 생각, 말, 감정, 의지 등이라고 할 수 있다. 마음에 쌓인 지식은 먼저 생각으로 표현되고, 말로서 외부로 표출된다. 감정도 사실상 지식의 표현방식으로 존재하는데, 생각이 마음의 내용을 표현하는 방식이라면 감정은 마음의 상태를 표현하는 방식이라고 할 수 있다. 즉 긍정적 마음의 상태를 표현하기 위해 기쁨, 즐거움, 감동 등의 감정이 표출되고 부정적 마음의 상태를 표출하기 위해 슬픔, 낙망, 불안, 두려움 등의 감정이 표출되는 방식이다.

감정으로 마음의 상태를 표출해야 하는 중요한 이유는 그것이 현재 처한 마음의 상황을 알려주는 지표이므로 대처할 수 있도록 하기 위해서다. 인간은 현재 처한 상황이 어떠한지 알게 되면 적절히 대처할 수 있게 된다. 예를 들어 갑자기 불안의 감정이 밀려온다는 것은 현재 상황이 좋지 않은 방향으로 흘러간다는 것을 알려주는 지표이다. 또 갑자기 분노가 치민다는 것 역시 현재 상황이 좋지 않다는 것을 알려주는 지표이다.

이러한 감정의 표출방식은 원인적 감정과 결과적 감정으로 나누어진다. 원인적 감정이란 지금 아무 상황이 발생하지 않았는데도 갑자기 불안이 몰려온다든지 기분이 처진다든지 하는 식으로 표출되는 감정을 뜻한다. 이러한 감정이 일어나는 이유는 뭔가 안 좋은 일이 일어날 가능성을 알려주기 위함때문이다. 즉 미리 대처하라고 주는 마음의 표현이 바로 원인적 감정인 것이다. 결과적 감정이란 어떤 상황의 결과로 나타나는 감정을 뜻한다. 예를 들어 부부싸움으로 분노가 치미는것은 결과적 감정으로 나타나는 현상이다. 이러한 결과적 감정 역시 현재 상황이 좋지 않으므로 적절히 대처하라고 주는 마음의 표현이라고 할 수 있다.

인간의 감정의 동물이라고 한다. 감정에 의해 지배를 받는 생활을 하는 것이 인간이기 때문이다. 감정에 의해 행복을 누리기도 하지만 감정에 의해 불행과 절망에 빠지기도 한다. 심지어 감정을 다스리지 못해 살인까지 벌이는 것이 인간이다. 감정의 본질을 이해하면 감정에 휘둘리는 것처럼 어리석은 일은 없다. 감정은 단지 마음의 상태를 표현하는 방식의 하나로 존재하는 것일 뿐이기 때문이다.

감정은 표현방식으로 존재하는 것이기 때문에 시간적 한계를 가지게 된다. 이것은 마치 파도와 비슷한 것으로 시간이 지나 파도가 가라앉고 나면 파도가 없어지는 것처럼 감정 역시 가라앉고 나면 감정의 실체는 없어지게 된다. 이처럼 실체도 없는 감정에 휘둘리는 삶을 사는 것처럼 어리석은 삶은 없다. 이러한 감정의 실체를 알게 된다면 우리는 더는 감정에 휘둘리는 삶을 살아가지 않게 될 것이다.

다시 한번 말하자면 감정은 원래 실체가 없고 단지 마음의 상태를 표출하는 방식으로서 존재하는 것이기에 이러한 감정이 발동하면 적절히 대처만 잘하면 된다. 마음의 상태를 표출하는 이유는 현재 상황에 대비하거나 대처하여 상황을 잘 극복하게 해주기 위해서다. 이것이 진정한 감정의 목적이다. 부정적 감정이 표출되었다면 현재 상황이 좋지 않음을 뜻하므로 이를 극복하기 위해 노력하기만 하면 된다. 현재의 부정적 상황을 이기는 방법은 얼마든지 세상에 많이 나와 있다. 당장 인터넷에 검색하면 수백 가지 답이 뜰 것이다. 그중 나에게 맞는 방법을 선택하여 잘 대처하기만 하면 부정적 상황은 얼마든지 극복할 수 있다. 하지만 부정적 감정의 노예가 되어 감정에 휘둘리기만 하면 현재의 부정적 상황은 절대 개선되지 않을 뿐만 아니라 더 안 좋은 상황으로 빠져드는 악순환에 빠질 수 있음을 잘 알아야 한다.

감정은 진화하고 있다

주변을 둘러보면 감정의 노예로 살아가는 사람이 너무도 많다. 감정의 노예가 되면 인간의 마음은 한없이 나약한 것이 되고 만다. 이처럼 훌륭한 문명을 이룬 인간이 이토록 불안하고 나약한 마음으로 살아간다는 것 자체가 절대적 모순이다. 그런 면에서 당장 좋은 집과 멋진 차를 사는 것보다 감정 문제를 해결하는 것에 투자하라. 이것이 삶을 행복하게 만드는 더 지혜로운 방법이다.

감정의 노예가 되지 않으려면 감정에 대해 제대로 아는 것이 필요하다. 감정이란 도대체 무엇일까? 과학자들의 연구에 의하면 새끼를 품고 낳아 기르는 포유동물만이 감정이 발달하여 있다고 한다. 알을 낳아 번식하는 어류나 파충류는 감정이 없다는 것이다. 포유동물은 자기 몸속에 새끼를 잉태하고 고통 속에 낳아 기르면서 비로소 감정이라는 마음의 요소를 진화시켜 나가게 되었다. 오늘날 인간의 감정은 그런 포유동물에서 시작된 감정의 최종 진화단계의 산물이라고 할 수 있다.

그러나 필자는 감정의 진화가 아직 끝나지 않았다고 생각한다. 그동안 물질문명의 진화가 이루어졌다면 이제 마음의 진화가 이루어져야 할 단계다. 마음의 진화단계에 감정의 진화가 포함되어 있다. 그렇다면 감정의 진화는 어느 방향으로 이루어질 것인가?

현재 감정은 인간 스스로 컨트롤 할 수 없는 방향으로 일어나고 있다. 흔히 '감정이 올라온다'라는 표현을 쓰는데, 즉 감정은 내가 만드는 것이 아니라 나도 모르게 속에서 일어나므로 표출된다. 내가 감정을 만들 수 있다면 얼마든지 조절할 수 있겠는데, 나도 모르게 마음의 무의식이 감정을 표출시키기에 스스로 컨트롤하는 것이 쉽지 않다. 하지만 미래의 감정은 스스로 컨트롤 할 수 있는 방향으로 진화가 일어날 것이 분명하다. 이 상태가 되면 인간은 더는 감정에 휘둘리지 않고 살아갈 수 있게 될 것이다.

감정을 알면 감정에 휘둘리지 않는다

안타깝지만 현재는 감정이 스스로 제어할 수 없는 방식으로 일어나고 있다. 따라서 이에 대처하는 방법을 개발하는 것이 필요하다. - 이러한 노력이 쌓일 때 감정의 진화가 서서히 일어나게 된다.

뇌과학자들은 감정과 관계하는 인체의 기관으로 대뇌의 편도체를 지목하고 있다. 실제 부정적 감정이 치솟을 때 편도체가 활성화되는 장면을 관찰할 수 있다. 그러나 이것만으로 편도체에서 감정이 일어난다는 가설이 증명된다고 할 수는 없다. 감정에 반응하여 편도체의 변화가 일어날 수도 있기 때문이다. 결국, 감정 역시 비물질적인 요소로서 그 발원지는 역시 비물질인 마음이라고 할 수 있다. 고요한 마음의 상태에 파도가 칠 때 그 신호가 편도체로 전달되어 감정이 일어나게 되는 원리로서 말이다.

이러한 감정의 종류는 《예기》, <예운>편에서 언급하는 칠정(七情)으로 설명할 수 있다. 칠정은 기쁨(희,喜), 노여움(노,怒), 슬픔(애,哀), 두려움(구,懼), 사랑(애,愛), 싫어함(오,惡), 바람(욕, 欲) 등 일곱 개의 감정들이다. 여기에 기쁨의 더 높은 단위로 행복, 낮은 단위로 즐거움, 평안 등이 포함될 수 있으며 두려움의 더 높은 단위로 공포, 낮은 단위로 불안, 염려 등도 포함될 수 있을 것이다.

뇌과학자 중에는 이러한 감정이 오직 두려움 하나로 수렴된다고 주장하는 사람도 있다. 두려움은 곧 생존 반응으로 이 때문에 거친 대자연에서 위협을 피할 수 있게 함으로써 인간이 살아남을 수 있게 되었다는 것이다. 이러한 두려움이 사라진 단계에서 나타나는 감정이 기쁨, 행복, 사랑 등의 긍정적 감정이고, 두려움이 고조된 단계에서 나타나는 감정이 노여움, 슬픔, 사랑, 싫어함, 바람(욕, 欲) 등의 감정이라는 것이다. 이것은 어느 정도 논리적 설득력이 있어 보이는 주장이다. 그러나 두려움은 부정적 감정이라는 점에서 기쁨이나 행복과 같은 긍정적 감정까지 두려움으로 수렴된다는 주장은 무리가 있어 보인다. 세로토닌이 분비될 때 긍정적 감정이 생긴다는 점에서 긍정적 감정은 사랑과 행복으로 수렴된다고 할 수 있겠다. 사랑과 행복은 포유동물이 처음 자신의 몸속에 새끼를 배면서 갖게 된 최초의 감정이다. 따라서 사랑과 행복과 같은 긍정적 감정은 두려움과는 구분하여 볼 필요가 있다.

사랑과 행복 같은 긍정적 감정은 인간의 생존에 직접적 위협을 주는 존재라고는 할 수 없다. 하지만 사랑과 행복의 감정이 결핍될 때 부정적 감정으로 넘어갈 수 있으므로 본질적으로는 더 중요한 감정이라고도 할 수 있다. 어쨌든 당장 인간의 마음을 위협하는 감정은 부정적 감정이고 그중에서 두려움이 가장 총체적인 감정이라고 할 수 있다. 따라서 두려움을 해결하는 것이 감정에 휘둘리지 않고 살아가는 최고의 비결이 될 수 있다.

대부분 인간은 두려움이 밀려올 때 즉시 그 두려움의 노예 상태로 빠져드는 본능이 있다. 두려움의 노예 상태에 빠지면 그 두려움을 더 강화하는 방향으로 감정이 진행되며 온갖 일어나지도 않은 상상을 하게 된다. 이러한 행동은 더 큰 두려움을 만들어내고 더 큰 두려움은 더 안 좋은 상황으로 몰아가게 된다. 흔히 갑자기 원인 모를 통증이 올 때 이런 상황에 빠지는 경우가 많은데, 이때 두려움은 통증을 더 악화시키는 방향으로 흐르게 한다. 그런데 이런 모습은 매우 어리석은 행동이 아닐 수 없다. 두려움의 본질을 이해하지 못하기에 나타나는 현상이기 때문이다. 두려움의 본질은 그것을 해결하는 데 있다. 따라서 두려움이 올라오면 즉시 어떻게 해결할까에 초점을 맞추는 태도를 갖는 훈련을 해야 한다. - 악순환을 일으키는 감정의 발현은 속마음 중 탁한 마음이 일으키는 작용이라고 할 수 있다. 이러한 감정은 나에게 나쁜 영향을 끼치므로 반드시 차단하는 훈련을 해야 한다.

두려움의 첫 번째 해결방법은 두려움의 원인을 제거하는 것이다. 앞에서 감정은 마음의 상태를 알려주는 지표라고 했었다. 여기서 상태란 '어떤 것이 처해 있는 형편이나 모양'으로 좋은 상태, 나쁜 상태, 위험한 상태, 안전한 상태 등의 정보를 알려주게 된다. 두려움의 감정이 인다는 것은 무언가 마음의 상태가 나쁜 상태, 위험한 상태에 있음을 알려주는 지표다. 이러한 좋지 않은 상태는 육체에 문제가 생겨 발생할 수도 있고 정신에 문제가 생겨 발생할 수도 있다. 따라서 이러한 문제를 해결하려는 노력을 통하여 원인이 되는 문제를 해결하고 나면 두려움은 사라지고 만다. 마음의 상태가 다시 좋은 상태, 안전한 상태로 회복되기 때문이다.

예를 들어 몸에 통증이 오면 마음의 상태는 즉각 위험 신호를 감지하고 두려움의 감정을 표출하게 된다. 이때는 몸의 통증을 해결하는 것이 곧 문제를 해결하는 것이 된다. 또 어떤 두려움의 대상을 만나야 할 때도 마음의 상태는 즉각 위험 신호를 감지하고 두려움의 감정을 표출하게 된다. 이때는 두려움의 대상을 더는 두렵지 않은 대상으로 만들던지, 아니면 두려움의 대상과 관계를 아예 끊을 방법을 찾아야 한다. 이렇게 문제가 해결되고 나면 더는 두려움이 생기지 않는다.

다시 강조하지만, 감정은 마음의 상태를 알려주는 지표다. 감정은 본질적 존재가 아니라 지표이기 때문에 시간이 지나면 마치 파도가 가라앉듯, 흙탕물의 흙이 가라앉듯 사라져버린다. 감정의 노예가 되는 것은 곧 사라져버릴 존재를 붙들고 더 큰 수렁으로 빠져드는 꼴과 다름없다. 따라서 어떤 부정적 감정이 올라온다면 어떤 문제 때문에 이러한 감정이 올라오는지 파악하고 문제해결을 위해 노력하는 태도를 가져보라. 문제해결로 마음의 방향을 전환하는 즉시 부정적 감정은 조금 가라앉게 되며, 문제해결을 위해 노력하고 있는 동안 감정의 유효시간이 지나 사라지는 경험을 하게 될 것이다. 그리고 문제해결을 했을 때 더는 그 감정의 노예로 살아가지 않게 된다.

만약 감정을 이런 시각으로 처리하게 되면 나는 더 성숙하고 발전적 존재가 된다는 사실을 알아야 한다. 인생은 문제의 연속이고 문제를 해결하는 과정에서 성숙하게 되는 구조를 갖고 있다. 감정은 그런 문제를 알려주는 신호이며, 우리는 그 신호를 잘 읽고 해결하는 과정을 통하여 더 성숙하고 더 발전적인 존재로 나아갈 수 있게 된다.

생각의 노예 상태에서 빠져나오는 법

사람 중에는 생각 때문에 고통 속에 지내는 사람들이 의외로 많다. 하루에도 오만가지 생각이 떠오른다는 말이 있는 것처럼 사람은 생각하는 동물이기 때문에 나타나는 현상이라고 할 수 있다. 그런데 생각 역시 감정처럼 내가 하는 것보다 속(무의식)에서 떠오르는 경우가 대부분임을 알 수 있다. 생각이 속에서 떠오르는 이유는 생각 역시 마음의 표현방식 중 하나이기 때문이다.

앞에서 마음은 그 사람의 총체적 지식이 저장된 곳이라고 했었다. 이러한 지식은 표현되어야 하는데, 이때 마음의 지식이 표현되는 도구 중 하나가 바로 생각이다. 즉, 감정이 마음의 상태를 표현하는 도구라면, 생각은 마음의 지식을 표현하는 도구인 셈이다.

그런데 뇌과학자들의 연구에 의하면 인간은 긍정적 생각보다 부정적 생각이 떠오르는 경우가 더 많다고 한다. 이런 현상이 나타나는 이유는 긍정적 생각보다 부정적 생각을 통하여 인간이 성장과 발전을 이룰 수 있기 때문이라고 생각된다. 예를 들어 불이 없는 생활에 만족하고 있다면 절대 불을 발견해낼 수 없었을 것이다. 불이 없는 생활에 대해 부정적 생각을 하였기에 결국 불을 발견할 수 있었던 것이다. 이처럼 인간은 부정적 생각을 통하여 현대 물질문명을 발전시켜 온 것이라 할 수 있다.

문제는 부정적 생각을 통하여 현실을 더 발전시키는 사람도 있는 반면, 부정적 생각에 빠져 현실을 더 악화시키는 사람들도 많다는 데 있다. 많은 사람이 부정적 생각으로 인해 걱정하고 불안에 빠지며 심지어 우울증, 공황장애 등과 같은 정신질환으로 연결되기도 한다. 현재 우리나라는 우울증 환자 수가 100만 명을 훌쩍 넘은 상태에 있다. 우울증이 심할 경우 결국 자살로 연결되기도 하는데, 우리나라의 자살자 수는 연 10만 명에 달할 정도로 오랫동안 세계 톱 상위권을 이어오고 있다. 이 모든 문제의 중심에 부정적 생각으로 인한 부정적 감정이 도사리고 있다.

부정적 생각이 이처럼 악영향을 미치는 데도 왜 인간은 자꾸 생각하려 할까? 혹 부정적 생각을 긍정적 방향으로 선회하는 방법은 없을까? 우리는 감정과 마찬가지로 생각의 본질을 정확히 이해할 때 비로소 생각의 노예 상태에서 빠져나올 수 있다.

뇌과학자들은 뇌를 통하여 생각이 표출된다고 이야기한다. 우리의 느낌으로도 생각은 머리에서 나오는 것처럼 느껴지므로 뇌과학자들의 주장이 타당해 보이기도 한다. 그래서 뇌를 깨우는 방법, 뇌를 맑게 하는 방법 등을 제시하기도 하는데, 그러나 뇌는 생각을 표출시키는 도구일 뿐 결국 마음에서 생각을 내보낸다는 사실을 알아야 한다. 흔히 생각이 없는 사람을 보고 "뇌가 없냐"라고 비아냥거리는 말을 하는데, 이는 사실

마음의 지식이 없냐, 라는 표현이 더 정확하다고 할 수 있다.

그렇다면 마음은 왜 지식을 생각으로 내보내는 것일까? 이것은 감정의 원리와 비슷하다. 생각이 떠오르는 것은 아무 의미 없이 떠오르는 것이 아니라 현재 상황을 대처하라는 신호의 의미가 있다. 즉, 생각 역시 감정과 마찬가지로 현재 상황에 대처하라는 신호로 작동하는 것이라고 할 수 있다. 이때 생각은 감정과 연결되어 함께 작동하게 된다. 생각과 감정은 둘 다 같은 마음의 표현방식으로서 본질적 의미를 갖고 있기에 함께 작동하게 되는 것이다.

예를 들면 갑자기 심장이 빨리 뛰는 증상이 나타나면 즉각 심장에 큰 문제가 생긴 것 아닌가 하는 생각이 떠오른다. 그리고 거의 동시에 이 생각은 감정과 연결되어 두려움이 확 밀려온다. 두려움은 더 부정적인 생각을 하게 만들고 더 큰 부정적인 생각은 더 큰 두려움을 만들어내는 악순환에 빠지게 된다. 그런데 이 상황을 마음 입장에서 보면 심장 부분에 문제가 생겼으니 이를 빨리 처리하라는 신호로 심장에 큰 문제가 생긴 것 아닌가 하는 생각과 함께 두려움의 감정을 신호로 내보내는 것이다. 따라서 이 문제를 해결하기 위해 병원에 가서 진단을 받아보든지 아니면 다른 지식을 통하여 심장이 빨리 뛰는 문제를 해결하기 위해 노력하기만 하면 된다. 이런 태도를 가지고 생각을 대하면 더는 부정적 생각이 사라지게 된다. 하지만 문제해결을 위한 노력이 더디게 되면 끝없이 꼬리에 꼬리를 무는 생각이 이어져 부정적 생각의 소용돌이에서 빠져나오지 못하는 꼴을 당하게 된다. - 부정적 생각의 연쇄작용을 일으키는 주범이 바로 속마음의 탁한 마음이다. 따라서 빨리 이를 인식하고 부정적 생각을 차단하기 위해 노력해야 한다.

의지적 생각과 감정 훈련법

생각과 감정은 마음의 지식과 상태를 표현하는 방식으로 존재하는 것이라고 했었다. 이러한 생각과 감정은 표현방식으로 존재하는 것이기에 시간적 제한을 가지며, - 시간적 제한을 가진다는 뜻은 시간이 지나면 생각과 감정이 가라앉는다는 것을 뜻한다. - 또한 컨트롤의 대상이 되기도 한다.

예를 들어 컴퓨터의 표현방식 중 하나로 모니터를 들 수 있는데, 이때 모니터의 전원을 꺼버리면 모니터가 더는 작동하지 않게 된다. 마찬가지로 생각과 감정 역시 내 마음의 의지를 통하여 더는 작동하지 않게 조절할 수 있게 된다. 물론 모든 사람이 생각과 감정을 조절할 수는 없으며 이것은 어느 정도 훈련을 통하여 달성할 수 있는 영역으로, 이러한 훈련을 의지적 생각과 감정 훈련법이라고 한다. - 필자가 붙인 명칭이다.

의지적 생각과 감정 훈련법은 간단하다. 앞에서 이야기한 생각과 감정의 본질적 의미를 이해하고, 어떤 생각이 떠오를 때나 감정이 일어날 때, 얼른 생각과 감정의 노예 상태로 들어가지 말고 생각과 감정이 알려주는 문제를 해결하기 위해 모든 신경을 쏟는 것이다. 한 문장으로 표현하면 '걱정 대신 어떻게 해결할까?'에 집중하라는 것이다.

생각과 감정에 대하여 이러한 태도를 갖게 되면 두 가지 큰 유익을 얻게 된다.

하나는 당장 생각과 감정의 노예 상태에서 벗어날 수 있는 유익이다. 예를 들어 부정적 생각이 떠오르면 부정적 생각의 소용돌이로 들어가는 대신 얼른 왜 이런 생각이 떠올랐지? 라는 반응으로 태세전환을 하면서 문제를 발견하고 해결하는 과정에 집중하는 것이다. 이와 같은 문제발견과 문제해결에 집중하다 보면 부정적 생각에 빠져 있을 여유가 없어진다.

또 하나는, 문제발견과 문제해결의 경험을 쌓아나가다 보면 자신이 성장하는 유익을 얻게 된다. 인생은 사실 불완전한 인간이 여러 문제를 극복하는 과정을 통하여 성장함으로써 완전을 향해 나아가는 장이라고 할 수 있다. 어쩌면 이것이 인간이 지구에 살아가는 목적이라고도 할 수 있다. 이런 목적하에 신은 우주를 창조하였고 지구에 인간을 살게 하였다. 그리고 인생의 목적에 이를 수 있도록 생각과 감정을 부여한 것이라고 이해할 수 있다. 생각과 감정을 이런 시각으로 받아들일 수 있다면 더는 생각과 감정의 노예가 아니라 도리어 생각과 감정을 통하여 삶의 목적을 이루어가는 인간으로 진화할 수 있을 것이다.

느낌(감, 촉)에 대한 이해도 필요하다

마음의 표현방식으로서 생각과 감정을 이야기했는데, 더불어 느낌에 대한 이해도 꼭 필요하다. 왜냐하면, 느낌이야말로 생각과 감정보다 더 중요한 마음의 표현방식이라 할 수 있기 때문이다. 사실상 느낌은 인간에게 있어 가장 고도의 마음 표현방식이라고 할 수 있다. 왜 느낌을 생각과 감정보다 더 높은 단계의 표현방식이라고 하는 걸까?

대개 느낌을 감각의 일종이라고 생각하는 경우가 있다. 감각을 통하여 느낀다고 생각하기 때문이다. 실제 감각을 통하여 느끼기 때문에 일면 타당한 생각이라고 할 수 있다. 또 느낌을 감정의 일종이라고 생각하는 경우도 있는데, 크게 보면 느낌 또한 감정에 해당하므로 그렇게도 볼 수 있다. 하지만 느낌은 성격 면에서 감정이나 감각과 다른 성질을 갖고 있다. 감정이나 감각이 어떤 특정 부분이나 사건의 내용으로 인하여 발생하는 것이라면 느낌은 거의 전체적인 몸과 마음의 작동으로 일어나는 표현방식이기 때문이다. 감정이나 감각이 어느 특정 예술이라 한다면 느낌은 종합예술이라 할 수 있다는 이야기다.

진화의 관점에서 보면 인간은 세균 때부터 느낌이라는 감각을 진화시켜 왔다고 볼 수 있다. 그리고 현 인간 단계에 이르러 느낌은 고도의 센서로 작동하는 단계로 발달해 있다. 인간의 느낌은 대상을 만나는 순간 작동한다. 아름다운 자연을 보며 가슴이 청아해짐을 느끼며, 감동적인 영화를 보며 마음이 뭉클해짐을 느낀다. 반대로 험상궂은 사람을 보면 위협감을 느끼고 폐가에 가면 으스스함을 느낀다.

그런데 이러한 느낌은 개인차가 있는데, 느낌이 고도로 발달해 있는 사람은 척 보고도 느낌만으로 뭔가 차이점을 발견해 낸다. 예를 들어 불과 500그램 정도 살 빠진 사람을 보고도 살 빠져 보인다는 느낌을 갖게 된다. 이러한 느낌을 기독교에서는 '영감'이라 하고 불교에서는 '촉'이라 부른다. 종교적 사역을 하는 사람들에게 있어 영감은 매우 중요하며, 예술가에게 있어 영감은 절대적이라 할 수 있다. 한때 '촉'이라는 용어가 사회적 인기를 끌기도 했는데, 영업자는 오랜 영업의 경험에서 갖는 촉이 있고 건축가는 오랜 건축의 경험에서 갖는 촉이 있다.

느낌이 생각이나 감정보다 더 중요하다고 말하는 이유는 사실상 느낌이 생각이나 감정보다 행동에 미치는 영향이 더 크기 때문이다. 기분이란 말이 있는데, '쾌, 불쾌 등의 감정을 느끼는 상태'를 뜻한다. 이러한 기분을 좌우하는 것도 곧 느낌이다. 한 사람의 행동에 가장 큰 영향을 끼치는 것은 그날의 기분이다. 기분이 좋지 않으면 행동에도 지장을 받게 된다. 반면 기분이 좋으면 그날 행동은 적극적으로 이루어질 수 있다. 왠지 안 좋은 느낌이 들면 행동이 위축되지만 좋은 느낌이 들면 적극적인 행동으로 이어지게 된다.

느낌은 생각이나 감정과 마찬가지로 내가 의지적으로 할 수 있는 것이 아니라 속에서 떠오르는 방식으로 작동한다. 이것은 느낌 역시 속마음이 주관하기 때문에 나타나는 현상이라고 할 수 있다. 앞에서 속마음은 지식화된 기억의 총체라고 했었다. 결국, 느낌은 기억 지식의 지배를 받는 존재라고 할 수 있다. 뛰어난 영업자는 상대를 만나는 순간 느낌으로 상대를 파악할 수 있으며 그에 따른 영업전략을 펼치게 된다. 이러한 느낌은 오랜 영업의 노하우에 대한 기억이 속마음에 저장되어 있다가 표출되면서 나타나는 현상이라고 할 수 있다.

그렇다면 어떻게 해야 좋은 느낌을 발달시키고 또 안 좋은 느낌에 대해 대응할 수 있을까? 느낌은 행동에 직접적인 영향을 미치므로 이것을 알아두는 것은 꼭 필요하다. 좋은 느낌을 발달시키는 방법은 앞의 영업자에서 힌트를 얻을 수 있다. 느낌이 기억 지식의 총체가 드러나는 현상이라 했으므로 필요한 지식을 습득하기 위한 공부를 많이 해야 한다. 이렇게 기억 지식이 쌓이면 그것이 고스란히 느낌이란 표현방식으로 나타나게 된다.

안 좋은 느낌이 일 때는 생각이나 감정과 마찬가지 방법으로 대응하면 된다. 안 좋은 느낌이 일어나는 것 역시 현재 상황에 미리 잘 대처하라는 신호라고 할 수 있다. 따라서 안 좋은 느낌을 그냥 흘려보내지 말고 왜 이런 느낌이 일어났는지 파악하여 문제를 발견하고 해결하는 과정을 거치면 된다. 이때 문제가 해결되면 안 좋은 느낌이 더는 일어나지 않는다. 하지만 문제가 해결되지 않으면 안 좋은 느낌은 문제해결을 촉구하는 차원에서 계속 일어나게 된다.

3장

나를 변화시키는 의지력의 비밀

의지를 아는 것이 가장 중요한 이유

지금까지 마음의 구성요소인 지식과 감정에 관련된 이야기를 하였다. 마음이 지정의로 구성되어 있다고 했을 때 이제 남은 것은 '의지'이다. 그런데 의지야말로 나를 행동으로 변화시킬 수 있는 트리거 포인트라고 할 수 있다. 트리거 포인트란 어떤 일이 작동하는 원인이 되는 지점을 뜻한다. 주로 통증 분야에서 많이 사용되는 용어인데, 통증이 발생하는 원인이 되는 지점을 트리거 포인트라 부르기도 한다. 트리거(trigger, 방아쇠)를 당겨야 비로소 총알이 격발된다는 의미에서 나온 용어이다.

의지가 무엇이기에 행동의 트리거 포인트가 된다고 말하는 것일까? 다음 한국어 사전에 의하면 의지란 일반적으로 '어떤 일을 이루려는 적극적인 마음'을 뜻한다. 철학에서는 '특정 목적의 달성을 지향하는 인간의 의식적인 노력'이라 정의하고, 심리학에서는 '어떠한 목적을 이루고자 하는 능동적인 마음의 작용'이라 정의하고 있다. 의지의 한자어로 봤을 때 의지意志는 뜻 의意 자에 뜻 지志 자로 뜻을 이루고자 하는 마음이라 정의할 수 있다.

이런 정의를 통하여 의지는 뜻으로 인해 마음에서 나오는 무엇이라고 이해할 수 있다. 지금까지 마음에 관해서는 이야기했으므로 의지를 바르게 알기 위해서는 뜻이 무엇인지에 대해 아는 것이 필요하다. 뜻이란 무엇일까? 뜻의 사전적 의미는 '속으로 품고 있는 마음의 내용'이다. 이러한 마음의 내용이 생각이나 말, 글을 통하여 겉으로 드러남으로써 비로소 뜻이 무엇인지 알 수 있게 된다. 그렇다면 마음에 저장된 모든 기억 지식이 모두 뜻이 될 수 있을까? 보통 일반 기억 지식을 뜻이라고 표현하지는 않는다. 뜻은 일반 기억 지식보다는 뭔가 의미가 있는 기억 지식에 해당하기 때문이다. 그런 점에서 뜻은 그 사람에게 매우 중요한 의미가 있는 기억 지식이라고 할 수 있다.

뜻의 의미를 알았다면 이제 왜 의지가 발동하는지 이해할 수 있게 된다. 즉 나에게 매우 의미가 있는 내용이 생겼기 때문에 그것을 하고자 하는 의지가 발동하게 되는 것이다. 예를들어 서울대 간 선배를 보며 나도 서울대 가고 싶다는 중요한 의미가 생기므로 서울대에 가기 위해 열심히 공부하는 의지가 발동하는 식이다.

어떤 사람이든 자신에게 중요한 의미가 있는 것이 생기면 그것을 이루려고 달려들게 되는 것이 인간의 기본 속성이다. 그것을 꿈이라 표현하기도 하고 갈망이라 표현하기도 한다. 이러한 의지가 생길 때 인간은 비로소 행동으로 옮기려는 마음이 생기게 된다. 문제는 이러한 의지가 생기는 것과 달리 실제 의지는 내 마음대로 작동하지 않는다는 데 있다.

작심삼일의 함정에 빠지는 이유

의지가 내 마음대로 작동하지 않는다는 사실은 작심삼일에 의해 쉽게 증명할 수 있다. 뭔가 하려고 마음먹지만 3일을 넘기지 못하는 것이 바로 작심삼일이다. 작심삼일의 함정은 한 번이라도 뭔가 해보겠다고 결심해본 사람은 다 아는 인간의 속성이다. 인간은 왜 작심삼일의 함정에 빠질까?

이것은 의지의 속성을 잘 모르기에 나타나는 현상이라고 할 수 있다. 사실 의지는 내가 하는 것으로 생각하지만, 의지 역시 생각과 감정처럼 속에서 나오는 - 여기서 속이란 속마음을 뜻한다. - 힘이 내가 하고자 하는 힘보다 크게 작동하는 표현방식의 하나이다. 의지가 어떻게 속에서 나오는 것이냐라고 반문하고 싶겠지만, 의지를 잘 관찰해보면 의지 역시 생각과 감정처럼 속에서 나오는 것이라는 사실을 발견할 수 있게 된다. 실제 의지가 나타나는 현상을 잘 관찰해보면 어떤 경험에 의해 문득 뭔가 하고 싶은 욕구가 (속에서) 떠오르면서 발동한다는 사실을 쉽게 발견할 수 있다.

속에서 떠오른다는 의미는 그 주체가 '의식적 나'가 아니라 '무의식 속의 나'가 된다는 것을 뜻한다. 불교에서는 이러한 의식적 나를 '자아'라 하고, 무의식 속의 나를 '무아'라고 표현한다. 여기서 자아란 내가 의식적으로 무언가를 할 수 있는 나인 것이고, 무아란 무의식 속에 있는 나이므로 의식적 나로는 조절할 수 없는 나가 된다.

작심삼일은 바로 무아의 영역에서 발현하는 힘이 자아의 영역에서 발현하는 힘보다 크기 때문에 자아의 나가 아무리 의지를 작동하려 해도 되지 않기에 일어나는 현상인 것이다.

자유의지가 없다는 주장들에 대한 진실

앞에서 의지는 자아보다 무아의 영향을 더 받는 특징이 있다고 했었다. 이 때문에 의지 또한 내(자아) 마음대로 할 수 없는 문제에 놓이게 된다. 이러한 의지의 속성을 놓고 과학계와 심리학계, 심지어 불교계에서까지 여러 실험을 통하여 '자유의지는 없다'라는 명제를 쏟아놓고 있다. 자유의지가 없다는 것은 곧 내 마음대로 할 수 있는 의지가 없다는 것을 뜻한다.

인간에게 스스로 할 수 있는 자유의지는 없다는 명제는 과거 고대 철학에서부터 시작되었다. 그리고 마음의 깊이를 다루는 불교계에서도 자유의지를 관찰한 결과 자유의지가 없다는 결론을 낸 사람들이 등장하게 되었다. 그리고 놀랍게도 과학계에서도 이러한 주장을 증명하는 실험결과들이 나오게 되었다. 먼저 1980대에 벤자민 리벳 미국 캘리포니아대학 교수가 피실험자들한테 자유의지에 따라 손가락을 움직이게 하고, 그들의 뇌에서 일어나는 전기신호를 관찰하는 실험을 했다. 그 결과 자유의지에 따라 어떤 결정을 내리기 0.3~0.5초 전에 이미 뇌 신경에서 전기신호가 일어나는 현상이 관찰되었다. 벤자민 리벳 교수는 이 실험결과를 바탕으로 '자유의지는 없다'는 가설을 제시했다.

그리고 2008년 '자유의지는 없다'는 가설을 증명하기 위한 실험이 또 한 번 이루어진다. 독일 막스플랑크연구소의 존딜런 헤인스 박사 연구팀이 인간의 자유의지를 부정하는 실험에 성공했다는 논문을 과학저널 〈네이처 뉴로사이언스〉에 발표한 것이다. 이 실험에서 연구팀은 피실험자 14명에게 자기 의지에 따라 버튼을 누르게 하면서, 동시에 뇌에서 일어나는 신경 반응을 자기공명영상(fMRI)을 통해 관찰했다. 그 결과 피실험자들이 버튼을 누르기 10초 전 뇌 부위에서 신경 반응이 나타나는 현상이 관찰되었다. 이것은 인간이 자유의지에 따라 어떤 결정을 내렸다고 생각하는 시점보다 먼저 뇌의 지시가 떨어졌다는 것을 의미한다.

123

이러한 과학적 결과를 놓고 '자유의지가 없다'라는 주장을 해왔던 철학자와 불교 연구가들은 고무되었다. 드디어 자신들의 주장이 과학으로 증명되었다는 것이다. 문제는 만약 인간에게 자유의지가 없다면 도대체 그 의지를 행사하는 주체는 어디서 오는 것인가 하는 질문에는 답하지 못한다는 점에 발견된다. 필자는 이들의 주장과 실험을 유심히 살펴보면서 누구도 이 질문에 대하여 답하는 사람은 보지 못했다.

'자유의지는 없다'라는 과학적 실험결과는 이 책에서 이야기한 속마음과 겉마음의 구조, 무아와 자아의 상관관계로 보면 어렵지 않게 이해할 수 있게 된다. 즉 버튼을 누르는 행동은 겉마음으로 드러난 의지이고, 그보다 먼저 뇌에서 일어난 반응은 속마음에서 일으킨 반응이라고 볼 수 있는 것이다. 겉마음은 속마음의 지배를 받는 구조로 이루어져 있으므로 당연히 실제 행동의 반응보다 뇌의 반응이 먼저 일어날 수밖에 없는 것이다.

의지에서 중요한 것은 자유의지가 있니 없니 하는 탁상공론보다 어떻게 하면 의지력을 향상시켜 내 삶을 좀 더 나은 삶으로 변화시키는가 하는 부분이라고 생각한다. 따라서 이 책에서는 이 부분에 중점을 두고 의지에 대한 논의를 더 진행해 보려고 한다.

의지력이 작동하는 원리

의지에서 중요한 것은 결국 의지력이다. 의지력이 강해야 비로소 의지를 행동으로 옮겨 나를 변화시킬 수 있기 때문이다. 이러한 의지력을 잘 발휘하면 생각에도 감정에도 지배당하지 않고, 오히려 생각과 감정의 주인이 되어 컨트롤 하는 수준에까지 이를 수 있다. 이것은 필자가 직접 경험한 것이므로 자신 있게 말할 수 있다.

의지력을 키우기 위해서는 먼저 의지력이 작동되는 원리를 이해해야 한다. 앞에서 의지는 속마음에서 나오는 힘이 겉마음에서 하려는 힘보다 더 크게 작동하는 속성이 있다고 했었다. 이런 원리로 인해 의지력은 먼저 속마음에서 의지력을 발휘할 수 있는 조건이 갖춰진 후 이것이 겉마음으로 터져 나와 의지력이 작동하는 원리를 가진다. 이렇게 조건이 갖춰진 의지력은 이제 지속해서 강한 힘을 발휘하게 되어 하고자 하는 뜻을 이루는 단계에까지 갈 수 있게 된다. 수많은 성공자가 바로 이런 의지력의 원리를 잘 이용하여 성공의 위치에 갔다는 사실을 명심해야 한다.

다시 말하지만, 겉마음의 의지력만 가지고는 아무리 뭔가를 하려 해도 작심삼일에 끝난다는 사실을 명심해야 한다. 작심삼일 현상이 나타나는 이유는 속마음의 의지력을 발휘하는 조건이 갖춰지지 않았기 때문이라고 할 수 있다.

그렇다면 속마음이 의지력을 발휘하는 조건이란 무엇일까? 그것은 곧 이루려는 뜻에 대하여 지속적인 공부와 훈련을 통하여 속마음에 습득된(완전히 자기 것으로 된) 지식을 뜻한다. 이를 다른 말로 습관이라 표현하기도 한다. - 습관은 속마음에 내재한 기억 지식임을 알아야 한다. - 즉 습관이 될 만큼 그 뜻에 대한 지식이 속마음에 쌓이면 이제 겉마음은 어렵지 않게 의지력을 발휘하며 목표 지점까지 갈 수 있게 된다.

필자의 경우 불혹의 나이에 작가가 되고 싶은 꿈을 꾸며 의지를 불태우게 되었다. 하지만 작가가 되고 싶다는 의지가 있다고 작가가 될 수 있는 건 아니었다. 작가로서 실력을 갖추어야 하는데, 당시 직장을 다니고 있어 공부할 시간을 내기 힘들었다. 당시 『아침형 인간』이란 책이 유행했기에 새벽 5시에 일어나 공부할 시간을 확보하려고 마음먹었다. 하지만 당시 나는 새벽 늦게까지 딴짓(?)하다가 늦잠을 자고 겨우 일어나 땡 맞춰 출근하는 습관을 가지고 있었다. 이런 내가 과연 새벽 5시에 일어나는 사람으로 변화될 수 있을까? 나는 무려 3개월을 새벽 5시에 일어나는 훈련을 거듭하였다. 이후부터 작가가 되기까지 어렵지 않게 새벽 5시에 일어나 작가 공부를 할 수 있었다. 그리고 작가 공부를 한 지 2년여가 지났을 무렵 나는 작가가 될 수 있었다.

필자의 경험을 살펴보면 새벽 5시에 일어나고자 하는 3개월의 훈련기간 동안 새벽 5시에 일어날 수 있는 속마음의 조건이 구비 되었다고 할 수 있다. 이것은 다른 말로 새벽 5시에 일어나는 습관이 무의식에 각인되어 이후로는 어렵지 않게 새벽 5시에 일어날 수 있게 되었다고 표현할 수 있다.

정리하면, 의지력이 제대로 발휘되기 위해서는 의지력이 발휘될 수 있는 속마음의 조건 - 이것은 곧 습관이 무의식에 각인되는 것을 뜻한다. - 이 갖춰져야 한다. 이러한 속마음의 조건을 다른 말로 습관이라고 한다. 따라서 내가 원하는 의지력을 키우기 위해서는 먼저 그 의지의 뜻과 관련된 습관을 기르는 공부와 노력이 필요하다. 물론 기존의 습관을 바꾸기 위해 새로운 습관을 키우는 것은 매우 어려운 일이다. 그래서 '자유의지는 없다'라는 말도 나오게 되는 것이다. 의지력은 이러한 장애를 뛰어넘을 때 만들어지는 노력과 끈기의 산물이라고 할 수 있다.

능동의지와 수동의지를 구분할 수 있어야 한다

의지는 하나인 것처럼 보이지만 엄격히 구분하면 능동의지와 수동의지로 구분할 수 있다.

능동의지란 정말 내가 하고 싶어서 나 스스로 발현하는 의지이다. 이러한 능동의지는 주로 내 안의 꿈이나 갈망이 작용하여 나타나게 된다. 이런 꿈이나 갈망은 타고 나기도 하고, 경험을 통하여 발견하기도 하며, 타인과의 비교를 통하여 나타나기도 한다. 어쨌든 꿈이나 갈망이 일어나면 능동의지가 발현하게 된다.

수동의지란 하고자 하는 동기가 자력이 아닌 외력에 의해 나타나는 의지를 뜻한다. 예를 들어 종교심에 열심을 내는 사람 중에는 신의 처벌이 두려워 의지를 내는 경우가 많다. 또 직장에서 상사의 눈치가 두려워 의지를 내는 경우도 많은데, 이것은 나 스스로 발현하는 의지가 아니라 외력이나 두려움 때문에 나타나는 의지이므로 수동의지가 된다.

자유의지란 신이 인간에게 부여한 유일한 권한이다. 생각도, 감정도, 의지도 사실상 인간 스스로 어떻게 할 수 없는 영역들이다. 심지어 육체조차 인간은 스스로 어떻게 할 수 없다. 오히려 육체가 피곤함을 만들어내고 질병을 만들어내며 나를 괴롭힌다. 이처럼 인간은 몸과 마음을 가지고 살아가는 존재지만 몸과 마음 중 스스로 할 수 있는 것은 거의 없는 상황에 놓여 있는 존재이기도 하다.

하지만 그 가운데 스스로 할 수 있는 것이 딱 하나 있으니 그게 바로 자유의지다. 물론 자유의지를 발현하기 위해서는 앞에서 이야기한 무의식의 조건이 구비되어야 한다. 하지만 자유의지를 발현할 수 있게만 되면 그때부터 인간은 스스로 생각과 감정, 의지, 심지어 몸까지 어느 정도 조절할 수 있게 된다. 그런 점에서 인간의 발전과 진화는 자유의지에 달려 있다고 해도 과언이 아니다.

자유의지는 이처럼 소중한 의미를 가지는데, 많은 사람은 수동의지에 이러한 자유의지를 쏟고 살아가는 경우가 많다. 이것은 비극이라 하지 않을 수 없으며, 엄밀히 말해 수동의지는 자유의지라고 말할 수도 없다. 능동의지만이 진정한 자유의지에 해당할 수 있기 때문이다.

내가 지금 수동의지 상태에 있다면 당장 그 속박에서 벗어나는 노력을 시작해야 한다. 수동의지로 사는 삶은 절대 행복에 이를 수 없기 때문이다. 수동의지를 능동의지로 되돌리고 싶다면 먼저 내 안의 갈망이 무엇인지 찾아내야 한다. 그 갈망과 꿈은 나를 통하여 이루고자 하는 신의 뜻이기도 하다. 앞에서 중심마음을 이야기할 때 신이 중심마음에 자신의 유전자를 심어놓았다고 했었다. 유전자는 뜻에 반응한다는 것이 과학으로 증명되었으며, 따라서 유전자에는 신의 뜻이 심겨 있다. 그 뜻 중에 중요한 것이 바로 자신이 이루고자 하는 꿈이다. 하나님은 인간에게 꿈을 심어주고, 인간은 그 꿈을 통하여 세상에서 살아갈 의미를 찾게 되며, 이러한 꿈과 꿈이 합쳐져 사회의 진화와 완성이 이루어지게 된다. 이것이 하나님이 만들어놓은 인간 사회 완성시스템이다. 인간 사회 완성시스템은 사회를 구성하는 각각의 사람이 자신의 꿈을 이루기 위한 능동의지를 발휘함으로써 이루어지게 된다. 이것을 이해한다면 당장 수동의지에서 벗어나 능동의지를 발휘하기 위한 삶으로 패러다임을 전환해야 할 것이다.

포기하지 않는 의지력 극대화하기

의지력을 갖추기 위해 무의식(속마음)의 습관을 키우는 것이 중요하다고 했다. 그렇다면 어떻게 해야 습관을 키울 수 있을까? 하나의 습관을 갖추기 위해서는 먼저 습관을 만들겠다는 결심이 있어야 하고, 다음으로 노력이 이어져야 한다. 그런데 보통의 결심으로는 이러한 과정에 이르기 쉽지 않다. 작심삼일이 되기 전에 온갖 유혹과 장애물이 다가오기 때문이다.

유혹과 장애물 중에는 현실적 상황도 있겠지만, 결국 부정적 마음이 결정적으로 작용하게 된다. 뭔가 힘든 감정을 느끼면서 '나는 안 돼'라는 부정적 생각이 물밀 듯 밀려오며 결국 습관을 만들려는 의지력은 포기라는 상태로 끝을 맺게 된다. 이때 어떻게 하면 포기하지 않고 의지력을 발휘하며 습관을 만들 수 있을까?

가장 좋은 방법은 강렬한 꿈(갈망)을 갖는 것이다. 강렬한 꿈을 갖게 되면 중심마음이 작동하게 된다. 꿈이 중심마음의 유전자에 각인되어 있으므로 나타나는 현상이다. 중심마음(영)이 작동하는 것을 심리학에서는 '초자아'라고 한다. 초자아는 초능력을 발휘할 수 있으므로 어떤 유혹과 장애물이 와도 이겨낼 힘을 가지게 된다. 어머니가 불 속에서 아기를 살려내는 힘이 바로 초자아가 발동하기 때문에 나타나는 현상이다.

필자는 작가가 되고 싶다는 강렬한 꿈을 가졌기에 어떤 유혹과 장애물도 이겨내고 결국 작가가 되는 꿈을 이루었는데, 바로 중심마음(초자아)이 작동했기 때문에 나타난 결과라는 사실을 마음공부를 하며 알게 되었다.

안타까운 것은 모든 사람이 이러한 강렬한 꿈을 가질 수 없다는 데 있다. 필자는 주변 사람들을 오랜 시간 관찰하면서 이러한 사실을 알게 되었다. 그렇다면 이러할 때는 어떻게 해야 의지력에 도움이 되는 습관을 만들어낼 수 있을까?

새로운 습관을 만들기 위해서는 유혹과 장애물을 이겨낼 수 있는 최적의 마음 상태와 몸 상태를 만드는 것이 중요하다. 최적의 마음 상태와 몸 상태가 유혹과 장애물을 이기는 데 결정적 도움을 줄 수 있기 때문이다. 자기계발 분야에서 습관은 하나의 분야로 자리 잡고 있는데, '습관 66일 법칙'이라는 게 있다. 이는 하나의 습관이 굳어지기 위해 매일 훈련해야 하는 시간이 66일 걸린다는 이론이다. 이러한 '습관 66일 법칙'은 영국 런던대학교에서 심리학자 필리파 랠리의 연구팀에 의해 밝혀졌다. 연구팀은 한 가지 행동을 습관으로 만들기 위해 매일 반복해야 하는 시간이 얼마나 걸리는지에 대한 실험을 진행하였다. 그 결과 개인차가 있긴 하지만 평균 66일 동안 습관을 키우기 위한 훈련을 했을 때 습관이 만들어진다는 사실을 확인할 수 있었다.

'습관 66일 법칙'은 적어도 66일 동안 습관을 만들기 위한 훈련을 버텨내야 비로소 새로운 습관을 만들어 의지력을 키우는 데 도움을 줄 수 있음을 의미한다. 66일을 이기기 위해서는 이 시간 동안 최적의 마음 상태, 몸 상태, 주위환경 등을 만드는 것이 중요하다. 최적의 마음 상태란 부정적 생각을 물리치고 긍정적 생각을 유지하는 것, 부정적 감정에 휘둘리지 않는 것을 뜻한다. 그리고 최적의 몸 상태란 최대한 좋은 몸 상태를 유지하는 것을 뜻한다. 주위환경 또한 의지력에 영향을 미치므로 방해되는 환경은 최대한 없애고 도움을 주는 환경을 만들기 위해 노력해야 한다. 이미 여러 실험을 통하여 이러한 상태에서 의지력이 더 발휘된다는 사실이 밝혀져 있다. 따라서 습관을 키우기 위해서는 최적의 마음 상태, 몸 상태, 주위환경 등을 만들기 위한 노력을 병행해야 한다.

4장

죽음의 패러다임을 바꾸는 마음혁명

몸의 역할에 대한 이해

여기에서는 몸의 역할을 이해하기 위해 몸과 마음의 연결에 대한 이야기를 하고자 한다. 누구나 몸과 마음이 연결되어 있다는 사실은 알고 있다. 마음이 안 좋을 때 몸도 안 좋아지거나 몸이 안 좋을 때 마음까지 안 좋아지는 것이 그 증거이다. 이 때문에 몸이 주인이냐, 마음이 주인이냐 하는 논쟁이 벌어지기도 한다. 분명히 알아야 할 것은 진짜 나의 주인은 중심마음에 있다는 사실이다. 중심이란 가장 중요한 부분을 뜻하므로 진짜 주인이 중심마음에 있다는 주장은 논리적으로도 타당하다.

중심마음에는 하나님의 유전자가 각인되어 있으며 여기에서 인간의 삶에 대한 목적이 나타난다. 인간 삶의 목적은 중심마음을 바탕으로 마음의 진화를 완성해나가는 데 있다. 마음의 진화는 기억 지식을 통하여 이루어진다. 기억 지식이 최종적으로 완성된 상태를 진리라고 한다. 결국, 인간의 삶은 진리를 완성해나가는 과정이라고 할 수 있다.

이러한 마음의 진화를 이루어나가는 데 있어 사용되는 도구가 있는데, 바로 생각, 감정, 느낌, 의지 같은 마음의 요소들이다. 그런데 몸 역시 마음의 진화를 이루어나가는 데 사용되는 도구라는 사실을 알아야 한다. 몸이 마음과 연결되어 있는 것은 바로 이러한 이유 때문이다.

이때 몸이 하는 역할은 서로 다른 마음끼리 물리적 관계를 맺게 하는 데 있다. 이 때문에 머리와 얼굴이 있고 또 팔과 다리가 있다. 그리고 머리와 얼굴, 팔과 다리가 작동하게 하기 위해 몸통과 각종 호흡기관과 순환기관, 소화와 배설기관이 존재하게 된다. 몸은 말과 표정, 팔과 다리를 통하여 다른 사람의 마음과 관계를 맺게 하고, 이때 생각, 감정 등의 작용이 일어나면서 마음의 성장을 돕게 된다.

몸의 또 다른 역할은 시간의 제한 역할을 하는 데 있다. 한 인간이 마음을 성장시킬 시간은 영원하지 않다. 몸의 시간 동안만 유효할 뿐이다. 이 때문에 몸의 물리적 생명이 끝나면 마음의 활동도 중단된다. 여기에서 우리는 의문을 갖지 않을 수 없다. 몸에 따라 마음의 활동이 중단된다면 어떻게 한 사람의 마음이 지속적 성장과 진화를 할 수 있단 말인가.

사회적 생명에 대한 이해

한 인간의 물리적 마음과 몸의 작용은 몸이 살아 있는 동안 만 작동한다. 따라서 육체의 생명이 끝나는 순간 마음의 물리 적 작용도 함께 끝나게 된다. 이것은 피상적으로 나타나는 현 상이기에 사람들은 죽음을 두려워하고 싫어한다. 죽는 순간 모든 것이 끝난다고 생각하기 때문이다.

하지만 우리의 시각을 크게 보면 나는 죽지만 내 정신적, 육 체적 유산은 가족을 통하여 계승된다. 가족의 계보는 자손에 의해 끊임없이 이어지는 성질을 갖고 있는데, - 물론 계보가 끊어지는 경우도 있지만 - 내 정신적, 육체적 유산은 자손으로 연결되는 계보에 의해 계속 이어지고 있는 것이다. 이러한 정신적, 육체적 유산이 기록된 곳이 바로 유전자이다. 과거에는 피에 의해 유전된다고 생각했으나 최신 과학의 발전으로 유전자에 의해 유전된다는 사실이 밝혀졌다. 이처럼 한 인간은 가족이라는 제도를 통하여 비록 자신은 죽지만 계보에 의해 자신이 남긴 정신과 육체의 모양이 계속 이어지게 시스템 속에 있게 되는 것이다.

이러한 시각을 사회로 넓히면 인간의 생명은 영원하다고 할 수도 있다. 왜냐하면, 한 인간의 생명은 100년 안쪽으로 유한하지만, 사회적 생명은 인류가 탄생한 이래 지금까지 이어져 오고 있기 때문이다. 그리고 이러한 사회적 생명은 앞으로도 계속 이어질 것이다. 여기서 사회적 생명이란 한 개인의 생명이 아닌 사회 공동체적 생명을 뜻한다. 이러한 개념은 개인의식을 뛰어넘어 '우리'라는 공동체적 의식을 가질 때 비로소 받아들일 수 있는 개념이다. 사회는 가정의 연합체로 구성된 곳이므로 가정의 계보가 이어지는 한 사회적 생명은 없어지지 않는다. 나는 죽지만 내가 남긴 유산에 의해 우리의 사회적 생명은 계속 이어지게 된다.

생명을 공동체적 의미로 바라볼 때 비로소 죽음에 대한 긍정적 추론이 가능해진다. 사회 공동체 속에서 삶은 유한하며 죽음은 또 다른 탄생으로 이어진다. 즉 사회적 생명은 죽음에서 시작하여 새로운 탄생이 이어지고 삶이 시작된다. 유한한 삶은 곧 죽음이 오고 다시 탄생으로 이어지는 선순환 구조를 가지게 된다. 이것이 사회적 생명이 영원히 이어지는 시스템이다.

사회적 생명 속에서 한 개인의 생명이 갖는 의미는 무엇일까? 개인의 존재 이유는 사회적 생명의 완성에 기여하는 데 있다. 사회적 생명의 완성은 곧 인간 진화의 완성이라고도 할 수 있다. 진화는 개인적으로 일어나는 현상이 아니라 사회적으로 일어나는 현상임을 알아야 한다. 여기에서 우리는 개인의 존재 이유를 찾게 된다. 한 개인의 존재 이유는 사회적 진화를 완성하는 데 기여하기 위함에 있는 것이다. 이때 개인이 기여할 수 있는 것이 마음과 몸의 성장이다. 이러한 각 개인의 마음과 몸의 성장이 합해져서 사회적 성장으로 이어지게 하기 때문이다.

그런데 개인의 몸과 마음의 성장은 삶의 훈련을 통해서만 가능하다. 삶은 지속해서 과제와 문제가 던져지는 현장이고, 이 가운데서의 훈련은 힘들고 고통을 수반한다. 이 때문에 인생이 힘들고 고통스러운 것이다. 이러한 인생 훈련의 속성 때문에 하나님은 한 개인에게는 유한한 삶만 허용한다. 하나님의 시각은 한 개인에게만 있지 않고 전체에 있으므로 이러한 시스템을 도입할 수밖에 없다. 한 개인이 감당할 수 있는 에너지는 유한하기 때문이다.

그런 점에서 개인의 삶은 마치 학교와 비슷하다. 우리는 성장을 위해 학교에 가지만 영원히 학교에 머물 수 없다. 어느 정도 시간이 되면 졸업해야 한다. 마찬가지로 인간은 인생학교에 다니기 위해 세상에 태어난 것이다. 그리고 이 인생학교의 졸업이 곧 죽음인 것이다. 여기에서 우리는 또 다른 가능성에 접근할 수 있게 된다.

죽음은 혹독한 인생학교를 졸업하는 것!

인생학교를 졸업하는 것이 곧 죽음이라면 이제 우리는 죽음에 대한 새로운 개념에 접근할 수 있게 된다. 학교에 오래 머물고 싶어 하는 사람은 없다. 빨리 졸업해서 사회의 구성원으로 살고 싶기 때문이다. 마찬가지로 죽음은 인생학교를 빨리 졸업하는 것에 비유할 수 있다. 졸업한다는 개념은 학교의 정규과정을 다 이수했다는 것을 뜻한다. 어떤 사람이 젊은 나이에 죽게 되면 사람들은 불쌍해하는데, 만약 그가 인생학교의 과정을 다 이수한 사람이라면 불쌍해할 필요가 없다. 너무 열심히 살아 인생학교의 과정을 빨리 이수했기에 일찍 가는 것이라 여길 수 있기 때문이다. 이는 인생이 고통의 연속이라

했을 때 오히려 축하할 일이다. 어려운 인생학교 과정을 빨리 이수했기 때문이다.

진짜 불쌍한 죽음은 인생학교를 다니면서도 제대로 공부하지 않고 대충 살다가 죽는 사람들이다. 인생학교를 졸업할 나이 가 지났는데도 여전히 학교 공부에는 관심 없이 자기 잇속만 채우며 오래 살다가 죽는 사람들이다. 이들은 자기 이익을 위 해서만 살고 사회의 진화에 기여한 것이 많이 없기에 불쌍한 인생들이 되는 것이다.

만약 죽음을 인생학교의 졸업이라는 개념으로 받아들일 수 있다면 죽음 이후에는 어떤 세상이 펼쳐지는 걸까? 학교 공 부는 사회에서 써먹어야 하는 이유가 있기 때문에 하게 된다. 그런데 인생학교는 졸업하는 순간 죽게 되므로 써먹을 기회 가 없다는 오류에 빠지게 된다. 하지만 인생학교는 일반 학교 와 달리 공부가 사회생활까지 이어지는 학교이다. 그래서 인 생 전체가 배우는 시간이 되는 것이다. 그리고 인생학교는 배 운 것을 써먹는 개념의 학교가 아니라 자신을 성장시키는 목 적으로 다니는 학교다. 인생학교의 목적은 개인의 성장과 더

불어 사회의 진화에 있다.

인생학교에는 이런 목적이 있기에 커리큘럼에 혹독한 훈련의 내용이 포함된다. 육체적 죽음은 바로 이런 성격의 학교를 드디어 졸업하게 되는 시간이다. 혹독한 훈련의 시간이 끝난다는 점에서 죽음은 오히려 기쁨의 시간이 된다. 내 임무를 완성하는 시간이 되기 때문이다. 인간은 이런 인생학교의 목적을 모르기 때문에 죽음을 두려워하고 슬퍼한다.

하나님은 이런 목적으로 인생학교로서 우주와 지구를 창조하였으며, 우주와 지구의 모든 자연물은 인간을 훈련시키기 위한 장치들로써 만들어졌다. 이런 인생학교에서 인간은 제한된 수명을 가지고 훈련을 완수하게 된다. 여기에서 제한된 수명이 각 개인이 부여받은 수명이다. 그렇다면 수명은 하나님이 정하는 것일까? 물론 인명은 제천(人命在天)이라는 말도 있듯 수명은 하늘에 의해 정해진다. 하지만 인생학교에서 더 공부해야 할 것이 있다고 인정될 경우 3번에 걸쳐 수명을 연장할 기회가 주어진다. - 이것은 동양학에서 주장하는 이론으로 실제 필자는 출생 시 3년 안에 죽는다는 사주를 받고 태어났으나 방편을 써서 3번의 죽을 고비를 넘기고 지금까지 잘 살아가고 있다.

평균수명보다 일찍 죽는다고 억울해하거나 슬퍼할 필요가 없다. 단시간에 인생학교의 훈련을 완수한 사람들일 가능성이 높기 때문이다. 흔히 열정적으로 훌륭한 일을 한 사람이 일찍 죽는 경우를 보게 되는데, 바로 여기에 해당하는 죽음이라고 할 수 있다. 억울한 사고로 일찍 죽음을 맞이하는 때도 있는데, 이 역시 인생학교에서 받은 어떤 임무 때문에 발생하는 것으로 궁극적으로는 사회 진화에 도움을 주는 죽음이기 때문에 감사하게 받아들이는 태도가 필요하다.

죽음으로 끝나는 것 아니다 - 3차원은 4차원 세계의 홀로그램 우주다

그렇다면 한 개인의 죽음과 함께 인생학교에서 배운 내용들은 모두 없어지는 것일까? 앞에서 이야기했듯 한 개인이 습득한 지식은 없어지지 않고 1차적으로는 유전을 통하여 사회적 생명으로 이어진다고 했었다. 하지만 이때 한 개인이 인생학교에서 배운 모든 데이터가 사회적 생명으로 이어지는 것은 불가능하다. 개인은 살아가면서 온갖 경험을 통하여, 또 생각과 감정, 느낌을 통하여 수많은 지식을 습득하게 되기 때문이다. 이렇게 얻은 그 수많은 지식 중 핵심 내용만 이어지고 나머지 디테일들은 모두 죽음으로 인하여 손실된다면 이것은 커다란 손해가 아닐 수 없다.

하나님이 이런 모순적 시스템을 만들 리 없다. 여기에서 우리는 우리가 살고 있는 우주가 단지 물질 우주만 있는 것이 아니라 비물질 우주가 있다는 사실에 접근할 필요가 있다. 비물질 우주의 존재는 이미 물질 우주에 지식이나 정보 같은 비물질적 요소들이 있다는 사실을 통하여 방증해 낼 수 있다.

앞에서도 이야기했듯 높은 차원은 낮은 차원을 오갈 수 있으나 낮은 차원은 높은 차원에 접근할 수가 없다. 3차원을 물질 차원이라고 했을 때 4차원은 비물질 차원이라고 정의할 수 있다. 이때 지식이나 정보 등은 4차원의 요소이고, 우주의 물질세계는 3차원의 요소이다. 4차원의 요소는 3차원에 접근할 수 있으므로 우리가 사는 3차원에도 지식과 정보 등의 비물질적 요소가 함께할 수 있는 것이다. 이로써 우리는 왜 3차원 세계에 물질과 비물질이 함께 존재하는지 이해할 수 있게 된다.

이상의 내용을 통하여 우리는 비물질적 요소로만 이루어진 4

차원 세계가 존재한다는 논리에 접근할 수 있게 된다. 4차원 세계는 오직 지식과 정보와 같은 비물질로만 이루어진 세계이다. 그렇다면 이러한 4차원 세계는 어떻게 작동되고 있을까? 이것은 앞에서 이야기한 상징 기법을 통하여 추론해낼 수 있게 된다. 앞에서 모든 물질은 비물질의 뜻을 상징하는 존재라고 했었다. 물질세계에 나타난 상징을 통하여 우리는 비물질 세계의 정보를 알아낼 수 있게 된다.

물질세계의 인간은 지구라는 인생학교에서 인간관계를 맺으며 살아가는 가운데 지식을 성장시키게 된다. 이러한 모습은 곧 비물질 세계에서도 지식의 성장이 이루어지고 있음을 상징하는 장면이라고 할 수 있다. 물질세계에서 인간관계를 통하여 지식을 성장시키듯 4차원 비물질세계에서도 상호작용을 통하여 지식이 성장하는 과정이 계속 일어나고 있는 것이다. 이것은 또한 물질 우주의 팽창으로도 증명할 수 있다. 현재 물질 우주는 계속하여 팽창하고 있는 것으로 밝혀져 있다. 이것은 물질의 성장을 뜻하는 장면이다. 물질이 성장한다는 것은 곧 비물질의 성장을 상징하는 장면이라고 할 수 있다. 그러므로 4차원 세계의 비물질적 요소들도 계속하여 성장하고 있다고 이해할 수 있다.

그렇다면 4차원 세계의 지식 성장은 어떤 방식으로 일어나는 것일까? 그것은 3차원 세계의 마음작용으로 이루어진 지식과 같은 비물질적 요소들이 4차원 세계와 공유하는 방식으로 이루어진다. 이 또한 인터넷의 발달로 생긴 온라인 세계, 즉 가상세계의 상징으로 추론할 수 있다. 가상세계의 출현은 사실상 4차원 세계를 상징하는 장면이라고 할 수 있다. 각 사람이 가지고 있는 PC를 3차원 세계에 사는 개인에 비유한다면, 가상세계는 4차원 세계에 비유할 수 있다. 이때 PC는 각자 자신만의 정보를 양산해내지만, 온라인으로 연결된 가상세계를 통하여 정보를 공유함으로써 훨씬 효과적인 생산활동을 할 수 있게 된다.

이러한 상징을 통하여 인간의 마음 또한 사실상 이와 같은 방식으로 작동하고 있음을 추론해낼 수 있다. 우리는 마음의 작용을 통하여 얻은 지식이 뇌나 유전자 등 인간의 뇌와 유전자 속에만 저장된다고 생각하지만, 사실은 동시에 가상공간과 같은 4차원 세계에도 저장된다는 사실을 잘 알아야 한다.

최근 개발되고 있는 클라우딩 컴퓨팅 개념이 바로 이것을 상징하는 것이라고 볼 수 있다. 클라우딩 컴퓨터는 PC의 모든 프로그램과 데이터를 가상공간의 클라우드에 저장하는 방식을 이용한다. 이것은 인간의 기억 지식 역시 4차원 공간에 저장되는 것을 상징하는 장면이라고 볼 수 있다.

이것을 인정한다면 이제 앞에서 이야기했던 중심마음, 속마음 등의 무의식 마음이 왜 존재하는지 이해할 수 있게 된다. 중심마음, 속마음 등의 무의식 마음은 바로 4차원 세계의 가상공간과 연결하기 위해 만들어진 마음이기 때문이다. 한 인간이 경험을 통하여 얻게 된 지식은 중심마음과 속마음에 저장되는데, 이 중심마음과 속마음이 바로 4차원 세계의 가상공간과 연결되어 그곳에도 저장되는 것이다. 이러한 시스템은 마치 클라우드에 모든 데이터를 저장하는 컴퓨터 시스템과 같다. - 모든 물질은 비물질을 상징한다는 사실을 잊지 말라. - 인간의 뇌와 유전자는 임시로 데이터를 저장하는 램과 하드디스크에 비유할 수 있고, 4차원에 저장되는 기억 지식은 클라우드 저장소에 비유할 수 있는 것이다.

이러한 시스템을 이해했다면 이제 왜 인간의 수명이 유한하며, 죽은 후 남긴 지식이 없어지지 않고 효과적으로 사용되는지 이해할 수 있게 된다. 3차원 세계에서 인간이 죽더라도 그가 남긴 지식정보는 고스란히 4차원 세계에 남게 된다. 그리고 4차원 세계에 남겨진 지식은 다시 4차원 세계에서의 마음 - 이때의 마음을 영혼이라 부른다. - 끼리 상호작용을 통하여 가공되고 이것은 다시 3차원 세계에 뿌려져 - 집단무의식의 과정을 통하여 - 인간 사회의 진화를 완성하는 데 사용되어진다. 이것이 하나님이 만든 인간사회진화완성시스템이다.

이것은 물질 우주의 상징을 통하여 추론해낸 비물질 우주 시스템인데, 최근 이를 간접적으로 증명하는 우주 이론이 나와 신빙성을 더해 주고 있다. 이른바 홀로그램 우주론이다. 홀로그램 우주란 간단히 말해 현 3차원 물질 우주는 거울상일 뿐이고 실상은 우주 어디엔가 존재하고 있다는 우주 이론이다. 홀로그램 우주론이 사고실험을 통하여 밝혀진 과정은 매우 복잡하고 어려우므로 따로 공부하는 것이 좋다. 우리가 거울을 볼 때 거울에 비친 모습은 실제 모습은 아니다. 마찬가지로 홀로그램 역시 평면에 3차원 이미지가 만들어지는 기술로 이때 홀로그램 역시 실제 모습은 아니다. 이러한 원리로 홀로그램 우주라는 용어가 만들어졌다. 이것은 물질 우주가 거울상이고 실제 정보는 비물질 우주에 담겨 있다는 필자의 주장과 거의 일치하는 이론이라고 할 수 있다.

하나 개념을 알 때 비로소 마음이 풀린다

지금까지 이야기한 중심마음과 속마음에 관한 이야기, 죽음과 사회적 생명에 관한 이야기, 4차원 세계에 관한 가설을 내 것으로 받아들이기 위해서는 '하나'라는 개념을 이해하는 것이 필요하다.

인간의 불완전성과 한계는 '분리'에서 시작되었다고 할 수 있다. 모든 사람은 자신이 개체로 존재하기에 다른 개인과 분리되어 있다고 생각한다. 이러한 분리에서 자기중심성이 나오고 자기중심성과 자기중심성이 만나 갈등과 다툼 등의 문제가 일어나는 것이 인간 사회의 모습이다. 이러한 분리의식 가운데 죽음은 가장 두려운 존재가 될 수밖에 없다. 분리된 개체가 없어지는 장면이 죽음이라 생각하기 때문이다. 이러한 분리의식에서 탈출하는 방법은 '우리'라는 '하나' 개념으로 돌아오는 것밖에 없다.

분리된 개인이 우리라는 하나 개념을 받아들이기 위해서는 '연결'을 이해할 필요가 있다. 우리는 모든 것이 분리된 개체로 생각하지만 사실 우주의 모든 개체는 하나로 연결되어 있다. 이게 무슨 말일까? 나는 일단 유전자로 가족과 연결되어 있으며 인간관계로 사회와 연결되어 있다. 인간으로 살기 위해서는 사회를 떠나 살 수 없는 것이 이 까닭이다. 이러한 사회로 이루어진 한국이라는 나라는 또 이웃 나라와 연결되어 있다. 이웃 나라와 교류 없이 살 수 없는 것이 이 까닭이다. 이렇게 전 세계의 나라들이 연결되어 지구를 구성하고 있다. 그런데 이러한 지구 역시 태양계와 연결되어 있다. 만약 지구 홀로 존재한다면 우주의 미아가 되고 말 것이다. 다행히 태양계에 연결되어 자전과 공전을 함으로써 인간이 살 수 있는 낮과 밤, 기온과 계절을 만들어내고 있다. 그렇다면 태양은 어떨까? 태양 역시 우리은하와 연결되지 않다면 우주의 미아가 되고 말 것이다. 이 때문에 태양 역시 우리은하의 중심을 바탕으로 자전과 공전을 함으로써 우주의 질서 속에 존재할 수 있게 된다. 우리은하 역시 마찬가지 원리로 더 큰 은하와 연결되어 있으며, 온 우주가 이렇게 서로 연결되어 질서를 유지함으로써 파괴되지 않는 우주를 유지하고 있는 것이다.

나로부터 시작된 연결이 우주 끝까지 이어져 하나로 연결된 시스템이 곧 우주인 것이다. 이러한 하나의 연결 개념으로 상대를 바라보면 이제 상대가 다시 보이게 될 것이다. 인간은 결코 분리된 존재가 아니며 연결된 존재라는 사실을 인식하는 것이 곧 하나 개념을 받아들이는 출발점이 될 수 있다.

이러한 하나 개념을 최초로 생각해낸 사람이 바로 예수이다. 예수는 자신이 하나님과 하나 된 존재이며, 사람들이 자신을 따를 때 자신과 하나 될 수 있다고 생각했다. 그리고 이런 사람들이 예수 안에 모이면 인류도 하나 될 수 있다고 생각했다. 이러한 하나 개념을 '사랑'이라고 표현했으며, 이러한 내용이 성경 요한복음에 기록되어 있다.

이러한 하나 개념을 내 것으로 받아들일 수 있다면, 비로소 마음의 실체를 이해할 수 있게 된다. 왜 생각, 감정, 의지를 내 마음대로 작동할 수 없는지, 왜 중심마음과 속마음 같은 무의식의 마음이 존재하는지 알 수 있게 되는 것이다. 중심마음과 속마음은 4차원 우주와 연결되어 있으며 곧 하나님과 연결되어 있다. 이때 속마음은 순수마음과 탁한 마음으로 구성되어 있다고 했었는데, 곧 양심과 욕심에 비유할 수 있다. 양심은 중심마음에서 비롯된 마음으로 곧 하나 개념이 중심을 이루는 마음이다. 반면 욕심은 '나'라는 개념이 만든 분리의식이 중심을 이루는 마음이다.

양심은 하나 개념을 가지고 있기에 다른 사람과도 연결되어 있으며 하나님까지 연결되어 있다. 이러한 양심이 우위를 이루면 사랑과 정의가 세워지는 사회 진화를 이루어낼 수 있다. 반면 욕심은 분리 개념을 가지고 있기에 다른 사람과 경쟁적으로 반응할 수밖에 없다. 이러한 욕심이 우위를 이루면 사랑과 정의가 세워지는 사회를 만드는 것이 힘들어진다.

인간이 인생학교 과정을 통하여 훈련받는 것은 바로 욕심보다 양심 우위의 마음 상태를 만들어 사랑과 정의의 사회 진화에 기여하는 과정이라고 할 수 있다. 이 때문에 한 인간의 마음 구조가 중심마음, 속마음(순수마음+탁한 마음), 겉마음으로 이루어져 있으며, 이때 탁한 마음이 파괴적으로 일어나 멸망에 이르지 않게 하려고 무의식이 의식을 지배하는 구조를 만들어놓은 것이다. 이때 무의식에 관여하는 것이 하나님의 힘이다.

인간의 본능은 분리의식이 지배하는 욕심에 있으므로 이러한 욕심을 의식에만 맡겨두면 인간은 결국 욕심으로 인하여 멸망할 수밖에 없다. 이러한 욕심을 무의식에 가둬둠으로써 함께 작동하는 양심과 함께 어느 정도 컨트롤 할 수 있게 장치한 것이 속마음, 즉 무의식의 구조인 것이다. 그리고 겉마음, 즉 의식에서 일어나는 생각, 감정, 의지 등도 무의식의 지배를 받게 함으로써 극단적인 상황을 막도록 장치해놓은 것이 의식, 무의식 시스템인 것이다.

하나 개념으로 이러한 마음의 구조를 이해하면 이제 비로소 내 마음이 나아가야 할 방향이 보이게 된다. 바로 양심 우위의 마음 상태를 만드는 것이다. 양심 우위의 마음 상태가 되면 사회적 생명, 4차원 세계의 작동원리 등을 받아들이는 것도 쉬워진다. 이런 가운데 나는 비로소 마음의 성장을 이루어 내면서 사회의 진화를 완성하는 데 기여하게 된다.